Tim-Tim-Bois-Sec

Jypé Carraud

Tim-Tim-Bois-Sec

*Collection dirigée par Claude Chabrol et
François Guérif*

Rivages/Mystère

© 1996, Éditions Payot et Rivages
106, bd Saint-Germain - 75006 Paris

ISBN : 2-7436-0127-2
ISSN : 0764-7786

PREMIÈRE JOURNÉE
(Dimanche 3 juin 195...)

1

*Ô la couleur des brises circulant sur
les eaux calmes.*

SAINT-JOHN PERSE.

L'an mil neuf cent cinquante... et le...
*Nous Mâcheclair Cambronne, agent de police
municipale, chef de poste, reçu et assermenté pour la
commune de Père-Labat, arrondissement de La
Pointe-à-Pitre, département de la Guadeloupe, revêtu
de notre uniforme...*
Son uniforme ? Un vieux pantalon à carreaux noirs
et blancs où, à chaque tache, un ravet[1] avait grignoté
un trou ; un ceinturon de cuir à grosse boucle de
cuivre ; une chemise d'un kaki blanchissant, débou-
tonnée jusqu'à l'épiploon, aux manches haut retrous-
sées, mais sur le devant de laquelle, côté cœur, était
cousue une plaque estampée des mots « la loi ». Son
képi traînait sur le carré de sol ; ses chaussures aussi,

1. Blatte.

plus loin, sous la table. Rond et pataud, couleur de chocolat sans lait, le visage capitonné de jovialité, l'œil bénin, les cheveux coupés ras pour en escamoter la crêpelure, Cambronne Mâcheclair, dit Tim-Tim-Bois-Sec, ne paraissait pas ses soixante ans et quelque.

Agissant en vertu des ordres de nos chefs...

Pour la troisième et dernière fois, la clochette de l'église annonça la grand-messe. Cambronne Mâcheclair soupira. Si le Père notait son absence (et où n'avait-il l'œil ?), c'était une réprimande en perspective, renforcée de cet accent alsacien si rauque au pays du doux parler : « Dis donc, Tim-Tim-Bois-Sec ! Toi, bon chrétien, consacré à la Sainte-Vierge, porte-bannière de la Confrérie, au lieu d'aller à l'Office tu te vautres comme un gros congolio[1] sous la galerie de ta case ! » Pourtant, ce n'était pas le Père qui allait s'asseoir à la petite table-là et mettre à jour les procès-verbaux du samedi soir !

Avons exercé une surveillance au bord de la Ravine-à-Crabes, dans laquelle les habitants du quartier sont tentés de déverser inconsidérément leurs pots de nuit. Pour ce faire, vers 21 heures, nous nous sommes postés auprès de l'épicerie Sinitanbirivoutin, dans une complète obscurité...

Il s'étira, mettant en fuite des lézards gris, tandis qu'un ver, un annoli, s'immobilisait sur la balustrade, raide comme une bûchette. De sa maison de bois perchée au haut du morne, Cambronne Mâcheclair avait aussi belle vue que Beppo, de la terrasse de son restaurant pour touristes américains, parlementaires en missions, médecins et avocats en congrès. Une haie d'hibiscus, un portique de bougainvillées, du même écarlate et butinés d'oiseaux-mouches, éclipsaient à force d'éclat la rouille et la vermoulure des cases voi-

1. Sorte de ver.

sines. Au bas du village, un rang de cocotiers dodelinait de la tignasse, ombrageant à parts égales la plage payante et celle, gratuite, où les pêcheurs accostaient. Trois ou quatre encablures d'un détroit où affleuraient cayes[1] et bancs de sable, puis c'était l'Îlet, parasol d'amandiers aux luisances de jade et de flamboyants d'un vermillon aussi luminescent que s'il avait été peint par le douanier Rousseau. Au-delà, l'Atlantique, avec le transparent drapé de ses bleus et de ses verts. À l'horizon, de sud en ouest : Marie-Galante, grise et plate ; la Dominique, une brume ; les Saintes, un archipel grec ; enfin, au bout d'un arc de littoral plat où n'apparaissait pas l'ébréchure de la Rivière Salée, la Basse-Terre avec ses bananeraies, ses volcans chapeautés de deuil par la forêt primaire, sa Soufrière dont l'arête se détachait avec une netteté si rare qu'on y distinguait failles et fumerolles. Cambronne Mâcheclair entre-frotta d'aise ses orteils spatulés : beau temps pour s'en aller pêcher le dormeur à la Prise d'Eau !

La faction n'avait pas duré dix minutes, qu'un homme passa devant nous dans la ruelle et se dirigea vers la fourrière municipale, vétuste et non fermée, que certains, par manque de respect à l'hygiène publique, voudraient clandestinement transformer en cabinet d'aisance...

Ses efforts de style l'avaient assoiffé. Il se leva laborieusement, posa un fragment de corail sur son procès-verbal pour que l'alizé ne l'emportât point et, de la galerie, passa dans la maison, qu'il traversa. La salle à manger, frais repeinte, était garnie d'une table pliante, de dix-huit chaises disposées en ovale, d'un bahut-radio surmonté d'un chien en céramique, de chromolithographies pieuses et de photos souvenirs :

---

1. Récifs coralliens.

feu Mme Mâcheclair, les enfants, les petits-enfants, outre le maître du logis dans sa jeunesse et en uniforme de sous-off. La grande chambre était plus nue : une malle à habits dans un coin, une palme en travers d'un bénitier cloué au mur, la couche à même le sol. L'arrière-cour, étroite et jonchée de boîtes vides, s'ornait d'un arbre à pain et d'un cochon noir amarré à celui-ci. Au fond, une baraque branlante, mi-bois de caisse, mi-panneaux publicitaires, hébergeait la cuisine. C'est là, sur un buffet de cajou blanc, que se trouvait la bouteille de Cristal-de-Roche. Cambronne Mâcheclair hésita. Un peu tôt pour le punch ? Il se contenta d'un décollage bu au goulot et s'en retourna vers son procès-verbal.

Nous l'avons suivi de vue et avons constaté qu'il progressait à mesure pour arriver enfin en cet endroit. Il se perdit alors derrière un talus...

Il lui sembla qu'on le hélait : « Tim-Tim-Bois-Sec ! Tim-Tim-Bois-Sec ! » Il alla regarder à la barrière. Rien d'autre, dans la rue, que deux merles qui se disputaient une croûte. Même les chiens étaient à la messe. Parole ! Il y en avait toujours une bonne douzaine, assis dans l'allée centrale, sages, graves et apparemment si désireux de se perfectionner que le Père les tolérait à condition qu'ils ne participassent pas aux répons.

Nous l'avons prestement approché et, l'étant vu accroupi, l'avons ordonné de se lever d'où il était...

Cela recommença : « Tim-Tim-Bois-Sec ! Tim-Tim-Bois-Sec ! » Un trouble de l'ouïe, sans doute. Dû à quoi ? Il s'en doutait bien ! Tard dans la soirée du vendredi, les conques de lambis[1] avaient ululé de morne en morne et les crieurs avaient annoncé : « Billet d'enterrement de mussieu. Fêt.-Nat. Coco-

---

1. Strombes utilisés comme trompes.

ville. Ou kallé tous à la veillée ! » La nuit durant, on avait vidé des dames-jeannes de rhum, raconté des histoires de Compé Lapin et de Compé Zamba, posé des devinettes : « D'l'eau duboutt ? Canne à sucre ! Ti baril sans cercle ? Un z'œuf ! Zagaya[1] entre deux draps ? La langue ! » On avait battu des mains en cadence, chanté, tapé sur les casseroles, joué comme des ti-mounes, lutté, catché. On avait fait boire au défunt son dernier sec, danser sa dernière biguine, et, le jour venu, envolés les mauvais esprits, on l'avait quitté, assis pour la dernière fois à sa fenêtre, sa dernière pipe entre les mâchoires.

Faisant fonctionner aussitôt notre lampe électrique, avons remarqué...

Dix heures de sieste n'avaient pas suffi pour dessoûler les veilleurs, et, le soir suivant, le cercueil de mahogani, tenu par les quatre meilleurs amis de Fêt.-Nat., décrivait d'éloquentes sinuosités. Arrivés devant l'église, les porteurs bénévoles s'étaient découverts et, discrètement, avaient aligné leurs chapeaux sur le drap funéraire.

...qu'il venait de faire tomber...

« Tim-Tim-Bois-Sec ! Tim-Tim-Bois-Sec ! » Ce ne pouvait plus être une illusion. La voix avait pris de l'ampleur, de la netteté. On la localisait. Suivi d'un long sillage infléchi vers l'Îlet, un canot approchait. De temps en temps, son occupant lâchait les avirons, mettait les mains en porte-voix : « Tim-Tim-Bois-Sec ! Tim-Tim-Bois-Sec ! » À tâtons, à petons, Cambronne Mâcheclair récupéra ses chaussures sous la table. Il ramassa son képi, l'épousseta d'une pichenette, mit en poche son procès-verbal interrompu. Avec une hâte appesantie de dignité, il descendit vers le « port ».

1. Crabe de terre.

2

– Hé ! La loi ! Pas si vite !

Cette voix de castrat, nasillarde, narquoise et que,
malgré son affectation, on sentait trébucher sur de
très grosses lèvres !

À contrecœur, Cambronne Mâcheclair s'arrêta.

Mauvaise rencontre, oui.

Posé sur le pavé à la façon du chat qui défie le
chien tout en guignant un arbre, l'homme n'était que
discordance, malaise : mocassins de daim flambant
neuf mais short troué aux fesses ; grosses bagues d'or
et chemise en loques ; corps grêle, presque noué ;
mains rétractées en griffes, mais insuffisamment
pour qu'on pût d'emblée diagnostiquer la lèpre ; chevelure crêpue et cependant blond-roux ; le visage
épaté d'un Congo, mais une peau blanche, malsaine à

12

force de blancheur, sur laquelle quelques excroissances d'un noir intense semblaient avoir concentré toute la pigmentation originaire.

– Excuse-moi, mon ché, dit Cambronne Mâcheclair, je suis tellement pressé.

L'albinos eut un sourire faux.

– Je serais tenté de le croire, puisque ma vue ne te plonge pas dans un abîme de stupéfaction !

Cambronne Mâcheclair affecta un air entendu.

– Je sais, Painbéni : hier, les gendarmes sont venus te cueillir dans les grands fonds et ils t'ont mis à la geôle...

– Parce que j'avais tardé à régler mon amende !

– Laisse-moi te dire, mon ché ! Tu es quimboiseur [1]... Quand on a un aussi bon métier, on ne lésine pas sur les frais généraux.

– Si tu tiens à placer la conversation sur le terrain professionnel, le devoir ne te commanderait-il pas de vérifier si je ne me suis pas évadé ?

– Pout ! pout !

– Mais encore ?

– Le seul bitin qui puisse m'étonner, venant de toi, c'est que tu ne sois pas sorti dès hier soir ! Qu'est-ce qui a marché de travers, compé ?

L'albinos accusa le coup. Sa voix se fit haineuse.

– Comme tu l'as deviné, ô fils de Sherlock Holmes et du commissaire Maigret, si j'ai condescendu à me laisser mettre la main au collet par les gardes-caca, c'est parce que j'avais auparavant déposé chez un ami sûr le montant de ma rançon.

– Autrement dit, l'amende et les frais de tribunal !

– Sitôt ma mise sous les verrous, cette personne devait verser les fonds et apporter la quittance au Parquet. Malheureusement...

---

1. Sorcier (du normand : « Tiens, bois ! »).

– Le dépositaire... ?

– Non, c'est le percepteur qui a levé le pied. Au sens propre du mot. Il a dansé toute la nuit. Un honorable négociant l'avait convié à son mariage.

De nouveau, du rivage cette fois, l'appel retentit : « Tim-Tim-Bois-Sec ! »

Cambronne Mâcheclair réfréna un sursaut d'impatience.

– Assez babillé ! Si tu te montres, c'est que tu es en règle. Au revoir, mon ché !

À retardement, les talons déjà tournés, il ajouta par habitude :

– Si Dieu veut !

Mais, en lui-même, il priait fervemment le Seigneur de lui éviter toute rencontre ultérieure avec des mounes[1] comme ça, qui, la nuit venue, sortent de leur peau comme d'un vêtement, l'accrochent à un clou et, mués en chauves-souris ou en insectes, s'envolent vers des occupations malfaisantes.

1. Gens.

3

*Et cependant d'étranges et mysté-
rieux événements étaient parfois mis au
jour, qui avaient rapport à des gens haut
placés de la ville aussi bien qu'à des
paysans de la jungle.*

W.-B. SEABROOK.

Avec son menton toujours rasé de l'avant-veille,
son chandail bleu à col roulé, ses sourcils en brou-
saille grise, sa casquette à visière de cuir, son brûle-
gueule, sa démarche un rien chaloupée, le gardien du
phare s'identifiait si bien à ses collègues de métropole
qu'on en oubliait l'ébène de sa peau. D'antillais, il ne
lui restait qu'un patronyme ronflant – Wellington –
et un prénom emprunté au sexe faible – Monique.

Assis dans son canot mi-échoué, la proue dans le
sable, la poupe à flot, il attendait sans hâte tout en
lançant un coup de rame par-ci par-là pour se maintenir à l'aplomb des vagues.

Boitillant, s'époumonant, suant à ruisseaux, Cambronne Mâcheclair déboucha de la rue Hégésippe-Légitimus.

– Tiens bon, Monique !

Effaçant le bedon, il se faufila entre la Prolétaire et la Sainte-Vierge-du-Mont-Carmel, chancelantes malgré leurs béquilles – deux barques, bien sûr – et poursuivit son chemin en zigzags parmi les avirons, les piles de voiles, les rouleaux de cordages, les nasses en fil de fer, les têtes de poissons pourries, les tas de coquilles vides, lambis, burgaux, palourdes, huîtres sauvages.

– Monique, ka ça y est ?

Le gardien de phare tendit sa pipe vers l'Îlet.

– Du vilain travail là-bas.

– Un... un crime ?

– Deux au moins... peut-être trois. Je m'y perds.

Cambronne Mâcheclair soupira (adieu la Prise d'Eau et ses dormeurs !), se déchaussa, attacha ses souliers à son ceinturon, retroussa son pantalon, déséchoua d'une poussée le canot, y grimpa, gagna à quatre pattes le banc du passager.

– Maintenant, raconte-moi !

D'une grimace musclée, Monique casa sa pipe dans un coin de sa bouche. Puis, tout en souquant vers l'Îlet :

– Rien ne se serait produit si l'Administration, dans sa sollicitude, n'avait récemment remplacé ma vieille bicoque de bois par le charmant pavillon en dur que tu connais...

– Mes amis ! Si je le connais ! On se croirait à Vernou ![1]

– Par ailleurs, tu n'ignores pas que Madame Wellington et les enfants sont en changement d'air à Bouillante. J'ai donc mis l'occasion à profit...

1. Village résidentiel de la vallée de la Lézarde.

16

– Ou vié coqueur[1], mon ché !

– Pour flatteuse qu'elle soit, ta supposition tombe à faux. Tout bonnement, j'ai loué ma nouvelle résidence à un Syrien.

– Pas pour la contrebande ?

– Pour une fois, je ne crois pas qu'il y ait pensé. Il se mariait hier.

– Donc il s'agit de Tartous Hama. Il a épousé une jeune personne à la peau bizarrement rouge...

– Marie-Socrate Rayapin. Une belle petite fille. Un peu indienne, un peu créole-abricot. Pas très farouche, disait-on. Entre autres, elle aurait été du dernier bien avec un certain étudiant nommé Tibor Ramshaye...

– Noté comme un extrémiste à surveiller. Il milite avec le camarade Passave...

– Pour en revenir à mes locataires, ils ont débarqué sur l'Îlet cette nuit vers 0 h 30. Habib, le frère cadet de Tartous, les avait amenés dans son horsbord. Je leur ai fait les honneurs du logis. Habib est reparti. Je suis allé prendre sommeil dans mon phare. La nuit s'est achevée sans que j'aie conscience d'une anomalie... Si ! en y repensant... Un peu avant 2 heures, j'ai vu de la lumière filtrer par les persiennes. J'ai pensé à un petit besoin. On boit tellement à ces cérémonies... Sur les 3 heures, quand j'ai regardé de nouveau, tout était éteint. Le jour est venu, la matinée s'est avancée. Les persiennes étaient toujours closes. Comme la grand-messe sonnait au village, Chimène-Surprise a accosté...

– Chimène-Surprise ?

– Leur ménagère[2]. Une demoiselle de Bras-Saint-Jean. Elle est ainsi prénommée parce qu'elle est née

1. Coureur.
2. Bonne à tout faire.

17

sur le chemin un jour où sa maman allait vendre des vivres[1] au bourg. Belle arrivée au marché : le panier sur la tête et, dedans, l'enfant au milieu des concombres et des piments doux ! Donc Chimène-Surprise venait prendre son service. Elle a tout trouvé bouclé : les portes, les fenêtres. Frapper, crier, jeter des roches[2], rien n'y a fait. Elle m'a appelé. J'avais des doubles des clés. Je suis entré... Mes amis ! Qu'ai-je vu ! Le Syrien, mort ! Marie-Socrate, morte aussi ! Et devine qui il y avait encore ?

– Il m'arrive de déduire, je ne devine jamais.

– Eh bien, en plus des nouveaux mariés, il y avait un monsieur...

– Le criminel ?

– Un monsieur en habit de soirée.

– Bon drap couvè mauvai couche !

– Tu ne dirais pas cela...

– Si quoi ?

– Si tu savais qui est... qui était ce moune-là...

– Dis-le une bonne fois ![3]

– Un vieux compè à nous, à qui nous pensions avoir dit une dernière parole d'amitié hier à l'église...

Cambronne Mâcheclair sentit blanchir ses lèvres.

– Tu ne veux pas dire... ?

Monique hocha gravement la tête.

– Si ! Fêt.-Nat. Cocoville.

1. Légumes.
2. Cailloux.
3. Tout de suite.

4

Tu ne sais peut-être pas ce que c'est
que des piaïes ?[1]

Édouard CORBIÈRE.

L'Îlet était encore à cinquante brasses, que déjà
l'on devait se chercher un chenal entre les bancs de
coquillages brisés menu, presque redevenus sable. À
travers les moirures de l'eau, le fond apparaissait nu :
pas une algue, pas un bernard-l'ermite, pas même un
de ces oursins à longues piques mouvantes qu'on
appelle chardons noirs. De temps en temps, défilait
un pensionnat de minuscules poissons arc-en-ciel.

Méprisant le débarcadère cimenté, incongru dans
ce désert, Monique s'en alla accoster dans une anse
ombreuse, fief d'innombrables zagayas, qui tom-
bèrent en arrêt, agitèrent leurs gros yeux noirs au-
dessus de leurs corps translucides, puis s'élancèrent
chacun vers son terrier.

1. Sortilèges.

Du sous-bois, surgit Chimène-Surprise. Dans un état ! Suante, tremblante, hagarde. Ses nattes ratatinées se tenaient tout droit sur sa tête, telles des bougies sur un gâteau d'anniversaire. Elle haleta :

– Mouin té tini[1] tellement peur ! Mouin té tout seule...

– Calme-toi, ma fille ! dit Cambronne Mâcheclair. Maintenant, tu es sous la protection de la loi.

Majestueusement, il s'assit sur une souche, s'épousseta les pieds, se rechaussa, déroula ses bas de pantalons, se releva.

Tous trois s'engagèrent sous les amandiers, presque aussi régulièrement plantés que pins dans les Landes. L'ombre était dense et manquait de brise. Cela sentait le moisi. On respirait à petits coups feutrés. Les feuilles mortes chuchotaient sous les pas. De loin en loin, dans une trouée de ciel bleu cernée de verdure vaporeuse, s'illuminaient les grappes d'un flamboyant.

Bientôt, le bosquet fut traversé et, au bout d'une aire caillouteuse, le phare apparut, tout blanc, quasiment imposant sur son socle de corail gris que venait franger parfois l'écume d'une vague. Le pavillon, un rien trop neuf, se blottissait à quelque distance.

Chimène-Surprise s'arrêta net.

– Mouin pas kallé[2] dans case à zombies-là !

Piacam-piacam, elle s'en retourna jusqu'à la lisière du bosquet, et, à l'ombre, elle s'assit sur les talons, les mains croisées sur le ventre, sa jupe bariolée pendant pudiquement entre ses genoux luisants.

Pour contraster avec sa frayeur, les deux hommes gagnèrent le pavillon à grandes – trop grandes enjambées. Monique tira une clé de sa poche et tenta de

1. J'avais.
2. Je n'irai pas.

l'introduire dans la serrure. Au troisième essai, la porte s'entrebâilla avec un piaillement.

– Ces menuisiers, dit Cambronne Mâcheclair, jamais ils ne laissent ressuyer leur bois !

Tout en parlant, mine de rien, il s'était écarté pour céder le passage à Monique.

– Surtout, vieux frè, ne touche à rien ! Des fois qu'il y ait des empreintes.

Monique regimba.

– La loi, d'abord !

Cambronne Mâcheclair serra les dents, ôta son képi, le confia gravement à Monique, se signa, entra.

D'abord, il n'y vit goutte – les persiennes fermées, pas d'éclairage électrique – et, leur équilibre rompu, ses autres sens s'emballèrent. Le moindre bruit de gorge, le moindre glissement de pied provoquèrent d'interminables résonnements. Une odeur de charnier le suffoqua, imprégna sa salive, son estomac.

Heureusement, ces troubles se dissipèrent au fur et à mesure que ses yeux s'accoutumaient et que se réveillait sa curiosité.

Au centre de la grande pièce nue – murs, sol et plafond en ciment apparent – il distingua trois fauteuils autour d'un guéridon et, dans chaque siège, un corps.

Il alla ouvrir les fenêtres, butant du pied contre quelque chose, peut-être une roche, puis manquant glisser sur une flaque grasse, et, après avoir aspiré une bonne bouffée d'air marin, il passa en revue les personnes présentes :

Fêt.-Nat. Cocoville, en jaquette, haut-de-forme, pantalon rayé, souliers vernis, les paupières closes, mou, verdâtre, suintant.

Tartous Hama, en smoking d'ottoman blanc, une rose desséchée à la boutonnière, pieds et poings liés, le visage convulsé et bleu, les yeux exorbités.

Marie-Socrate, enfin, frêle dans sa robe de dentelle blanche, paraissant simplement assoupie, mais d'abricot, devenue cendrée.

Autour d'eux, un cercle de galets plats et d'œufs cassés.

Sur le guéridon, sept gobelets de rhum, sept bougies presque consumées, sept piles de menue monnaie et, au milieu, une bouteille d'un litre, vide, sans étiquette, hermétiquement bouchée par une capsule à levier.

Au-dessus, un crapaud se balançait, attaché par une patte à la lampe Aladdin.

– Vié bitin [1] à quimboiseur, ça ! marmonna Cambronne Mâcheclair.

À point nommé, Monique rentra, portant une burette et un sabre d'abattis.

Avec ce dernier, il décrivit à la ronde les signes de croix qui repoussent mauvais esprits et engagés. Puis il tendit la fiole à Cambronne Mâcheclair.

– Les pauvres mounes-là, va donc leur mettre un peu d'eau bénite !

Peut-être parce qu'elle l'effrayait moins, Cambronne Mâcheclair commença par asperger Marie-Socrate.

Soudain :

– Monique ! hurla-t-il.

– Ka ça y est ? [2]

– J'en suis sûr, elle a bougé !

– C'est peut-être la rigidité qui commence...

– Pas comme ça ! Elle a frémi.

Il s'enhardit à appliquer l'oreille contre un sein agréablement saillant.

– Son cœur bat !

1. Vilaine affaire.
2. Qu'est-ce qu'il y a ?

– Elle est évanouie ?

– Ou chloroformée.

Il la secoua sans résultat.

– Il faudrait un docteur.

– On en appelle un par téléphone ?

– L'Îlet n'est pas raccordé.

Cambronne Mâcheclair frappa dans ses mains.

– Mon ché, la commune de Père-Labat ne serait plus ce qu'elle est si, un dimanche à midi, il n'y avait pas au moins un médecin en train de prendre le soleil sur la plage payante !

– Et s'y n'y en avait pas au moins trois à manger des acras [1] chez Beppo !

– Monique, vas-y une bonne fois... à la plage ou chez Beppo...

Comme le gardien de phare prenait la porte, Cambronne Mâcheclair ajouta :

– Préviens les grandes bottes aussi ! Le commandant de la brigade est tellement...

– Je lui enverrai un émissaire. À tout à l'heure, si Dieu veut !

– Jiss !

Monique n'avait pas encore refermé derrière lui, que Cambronne Mâcheclair le rappelait :

– Vieux frè !

– Ka ça y est ?

– Tu as toujours ton appareil photo ?

– Oui, mais pas de pellicules.

– Dommage ! Monsieur le Procureur aurait été tellement content...

– Les gendarmes prendront tous les clichés souhaitables.

– En attendant qu'ils arrivent, je ne peux pas laisser la petite fille comme ça : mal assise ! en compagnie de deux personnes mortes !

1. Beignets de morue.

23

D'un porte-manteau en fausses pattes de cervidés, Monique décrocha un Rolleiflex avec son flash électronique.

– La succession de M. Hama te pardonnera cet emprunt...

Il vérifia le compte-vues.

– Il en reste huit à prendre. Tu sauras opérer ?

Cambronne Mâcheclair s'offusqua :

– Mon ché, du temps du gouverneur Sorin, j'ai failli aller au Fort Napoléon[1] pour avoir tiré le portrait de la Jeanne ![2]

---

1. Haut lieu de Terre de Haut transformé par Vichy en prison d'État.
2. Le croiseur-école Jeanne-d'Arc.

5

> *Ayen qui la mo' qui pa'a n'ni
> rimède*[1].
>
> ZAGAYA, Proverbes créoles.

– Laissez-moi vous dire, vous auriez pu me laisser
le temps de m'arranger un ti brin !
– La santé du malade avant tout, Docteur !
– Mon pantalon ! que j'ai laissé, avec mon porte-
feuille dedans, accroché à un clou tout rouillé, dans
une cabine qui ne ferme même pas ! ma veste en tergal de Hong Kong !
– À cette heure-ci, Docteur, pas un moune ne
vole : il fait trop chaud.
Ainsi devisaient, trottant vers le phare, Monique
Wellington et un athlète noir habillé seulement d'un
slip nageur et d'un stéthoscope.
Ils entrèrent dans le pavillon par la cuisine, qui
embaumait le café-pays, celui à petits grains. Devant

1. Il n'y a que la mort qui soit sans remède.

la table à repasser, Chimène-Surprise roussissait à grands coups de carreau une pile de serviettes-éponges.

Cambronne Mâcheclair surgit, serra la main du médecin sans paraître surpris de sa tenue, prit une serviette, bougonna parce qu'il ne la jugeait pas assez chaude, fit signe aux arrivants de le suivre, gagna une chambrette, ouvrit le lit, posa le linge bassiné sur Marie-Socrate.

À son teint, à sa respiration, on la devinait proche du réveil.

Par acquit de conscience, le médecin lui saisit le poignet.

– Ou badiné mouin![1] cette personne n'est pas malade.

– Docteur, dit Cambronne Mâcheclair, s'il vous faut des cas plus sérieux, allez donc vous occuper une bonne fois des deux messieurs qui attendent dans le living-room !

---

1. Vous vous êtes moqué de moi.

6

*Quelles nuits délicieuses on passe
sous ces latitudes que le soleil aime tant
et qu'il éclaire avec une pompe et une
majesté inconnues à nos tristes climats !*
                                    Édouard CORBIÈRE.

Assis au chevet de la jeune femme, le garde champêtre et le préposé des Phares-et-Balises avaient des
airs de nains de Grimm veillant Blanche-Neige.

– Monique, laisse-moi te dire...

– Pas si fort !

– Tu as prévenu les gendarmes ?

– Par exprès.

– Tu n'as babillé avec personne ?

– Pour avoir des centaines de curieux dans une
heure !

Ils se turent. Les jalousies tamisaient la clarté du
dehors, émiettaient la brise en fraîcheur. Qu'il eût été
bon de prendre sommeil ! Pour se tenir éveillé,
Monique se mit à bourrer sa pipe. D'un claquement

de doigt, Cambronne Mâcheclair le rappela à la décence.

Cinq minutes passèrent. Puis :

– Monique ?

– Ka ça y est ?

– À ton avis, quand les gendarmes sont avisés d'un crime, ils arrivent tout de suite ou ils déjeunent avant ?

– Cela doit dépendre de leur constitution.

Le problème ne fut pas débattu plus longtemps, car Marie-Socrate revenait à elle.

Avec beaucoup de discrétion.

En se plaignant simplement d'un fort mal de tête.

Elle demanda à Cambronne Mâcheclair :

– Vous les avez verbalisés ?

– Qui, tite fille ?

– Les mounes qui sont venus nous faire une farce.

– Une... Quelle farce, tite fille ?

Elle fronça son minois en signe d'effort de mémoire.

– Nous étions ici, dans cette chambre... Tout à coup, nous nous sommes réveillés. Une lanterne électrique nous éblouissait. J'ai quand même réussi à voir qu'autour du lit il y avait trois personnes déguisées en guiables.

– En diables ?

– Avec des cagoules et des combinaisons mi-partie : un côté blanc, un côté noir. Comme pour enterrer Vaval[1]. Deux nous menaçaient avec des revolvers. Le troisième guiable versait un liquide sur du coton. Cela sentait comme dans les cliniques. Il m'a appliqué le coton sur le visage. J'ai eu une impression de froid. J'ai cru étouffer. J'ai entendu un choc sourd, Tartous qui criait. Et puis, j'ai perdu

1. Carnaval.

28

connaissance... Tartous ! mon Dieu ! où est-il ? Est-ce que...

Cambronne Mâcheclair répondit très vite :

– Le docteur s'occupe de lui.

– Ils l'ont goumé[1], n'est-ce pas ?

– Il ne paraît pas avoir eu de fractures... Le docteur s'en occupe, je t'ai dit... Ces guiables-là, est-ce que tu pourrais les identifier malgré leurs déguisements ? Il n'y a pas que les têtes, il y a les voix...

– Je ne les ai pas entendus dire un mot.

– Il y a les couleurs de peaux...

– Ils avaient des gants en caoutchouc, des chaussures de randonnée ; on ne voyait que leurs yeux.

– Comment étaient-ils, leurs yeux-là ?

– Celui qui m'a fait respirer la drogue les avait clairs ; gris-vert, je crois.

– Il était grand ?

– Assez.

– Gros ?

– Maigre, plutôt. Avec des gestes d'homme nerveux.

– Les deux autres ?

– Ils étaient plus petits.

– Maigres aussi ?

– Je ne me rappelle pas.

– Leurs yeux ?

– ...

Monique Wellington intervint :

– Puis-je me permettre une question ?

– Sûr, vieux frè.

– Monsieur et Madame Hama s'étaient-ils couchés tout habillés ?

Marie-Socrate hocha négativement la tête.

– Il n'empêche, reprit Monique, que, quand je

1. Battu (du vieux français « gourmer »).

29

vous ai trouvés, vous étiez, Madame, en robe de mariée, et votre époux en smoking !

Se rapprochant de Cambronne Mâcheclair, il lui murmura :

– C'est comme pour Fêt.-Nat : aujourd'hui il est en queue-de-pie, et hier, rappelle-toi, il avait son costume prince-de-Galles !

Cambronne Mâcheclair s'empressa de changer de sujet :

– Tite fille, avant tout ça, tu n'avais rien remarqué de suspect ? pendant les fiançailles ? à la mairie ? à la messe ? pendant la réception ?

– Non.

– Et ton mari ?

– Il ne m'a parlé de rien.

– Vous n'avez pas, l'un ou l'autre, reçu des menaces ?

– Pas en ce qui me concerne.

– Ton mari avait-il des ennemis ?

– Sans doute, mais il ne m'en a jamais rien dit.

– De quel côté les verrais-tu ?

– Dans le commerce, la concurrence est parfois une guerre ; et puis, même exilés, les mounes du Moyen-Orient ne se sentent pas toujours frères.

– Toi, te connais-tu des gens qui te voudraient du mal ?

– Je ne crois pas.

– Pas de soupirant éconduit, de bon ami délaissé ?

– N... non.

Elle avait hésité une fraction de seconde, et son ton manquait un rien d'assurance. Cambronne Mâcheclair se réserva d'éclaircir ce point ultérieurement.

– Naturellement, enchaîna-t-il, tous vos amis et relations savaient où se passerait votre lune de miel ?

– Personne n'était dans la confidence ; sauf Habib, mon beau-frère, et puis Gastonia...

– Gastonia ?

– La... la première vendeuse de Tartous.

– Vous étiez bien discrets !

– Tartous a déjà été marié deux fois...

– Et cela ne vous tentait pas d'avoir un chalbari[1] devant vos fenêtres ?

– Fai attention pa ka empêche malheu rivé[2] !

– On vous a peut-être pistés quand vous avez
laissé les invités à leurs danses ?

– Nous nous en serions aperçus : il faisait clair de
lune. Et encore, on n'aurait pu nous suivre au-delà de
la Darse : le canot de Habib est tellement rapide !

Cambronne Mâcheclair se tourna vers Monique
Wellington :

– Es-tu sûr d'avoir tenu ta langue ?

Monique suçota sa pipe éteinte, puis :

– J'aurais été bien fou d'attirer les regards de l'Administration sur mes activités parallèles de logeur en
garni !

– Hein ! hein !

(Une exclamation compréhensive, presque
complice.)

Le médecin rentra en coup de vent.

– Ça y est ! J'ai examiné les macchabées. C'est une
histoire invraisemblable ! Le vieux Noir est mort
depuis au moins deux jours ! Quant au Syrien...

– Pè là ![3] lança Cambronne Mâcheclair.

– Trop tard ! dit Monique.

Marie-Socrate avait reperdu connaissance.

– Autant pour moi ! dit le médecin.

Puis :

– Maintenant qu'on est entre hommes : le Syrien

1. Charivari.
2. Faire attention n'empêche pas le malheur d'arriver.
3. La paix !

est mort étouffé, c'est clair... mais ce que je n'arrive pas à comprendre, c'est pourquoi, à part la bouche et les pores de la peau, on lui a obturé tous les orifices naturels avec des vieux chiffons !

7

... des opérations qui, telles des plantes délicates, exigeaient pour se développer l'ombre et le secret.

Gilbert DE CHAMBERTRAND.

De la galerie supérieure du phare, Cambronne Mâcheclair contrôlait l'Îlet, le débarcadère, le bras de mer, le « port », les rues abruptes de Père-Labat. Même, au bord de la route des Grands Fonds, il distinguait la nouvelle gendarmerie : quatre grands murs blancs qui attendaient encore une toiture.

De chez Monique, le médecin l'apostropha :

– Ils rappliquent, vos cognes ?

Il eut un geste d'impuissance.

Des hurlements, confinant au glapissement, lui répondirent :

– Laissez-moi vous dire ! Il est 2 heures bien tapées ! J'ai les crocs ! Je suis à poil ! Mes frusques sont dans une baraque ouverte à tous les vents, en admettant qu'elles y soient toujours ! Je ne joue plus !

De deux choses l'une : ou bien vous me ramenez de bon gré sur la terre ferme, ou bien je me taille avec votre foutu canot des Phares-et-Balises... et je ne me charge pas de vous le réexpédier !

Un quart d'heure plus tard, sans avoir croisé le moindre képi, le représentant de la loi et celui d'Esculape débarquaient à Père-Labat, l'un se précipitait sous les fils de fer séparant le « port » de la plage, et l'autre remontait en s'essoufflant la rue Hégésippe-Legitimus.

Avant de traverser la route nationale, qu'on continuait d'appeler route Coloniale, Cambronne Mâcheclair s'arrêta. À l'angle-là, se trouvaient la pharmacie, au vrai simple dépôt de médicaments, et le logis de M. Onésiphore Blanchedent, maire de Père-Labat. Cette personnalité admettait mal d'être seulement avisée par les gendarmes. Cambronne Mâcheclair sonna. Mme la mairesse apparut au balcon.

– Vous dites ? Monsieur le maire ! Aujourd'hui ! À quoi songez-vous, Cambronne ? Et Coquille-Rouge... ?

– Il... il a voyagé ?

– Il se devait d'aller soutenir son candidat.

Eh oui ! Ce dimanche même, après deux élections fraudées, deux annulations au tribunal administratif et deux recours dilatoires devant le Conseil d'État, le peuple souverain de Coquille-Rouge s'en revenait déposer, dans des urnes rapiécées, des bulletins dont, le ciel aidant, la couleur resterait la même jusqu'à la proclamation des résultats.

Cambronne Mâcheclair s'excusa d'avoir perdu de vue cet événement historique, prit congé de Mme Blanchedent et s'en fut jusqu'à la future ancienne gendarmerie – une grande bicoque assez récente mais tellement minée par les poux de bois que ses occupants à deux pattes appréhendaient d'être ensevelis sous un plafond avant l'inauguration des nouveaux locaux.

– Y a personne, dit une dame gendarme, sont à Coquille-Rouge, maintien de l'ordre, sécurité des points de vote, beau dimanche ! Repassez demain !

– Excusez-moi, insista Cambronne Mâcheclair, si je vous importune encore un instant ! On vous a bien porté un petit mot d'écrit pour Monsieur le Commandant de Brigade ?

– Oui. Et alors ?

– Madame, soyez assez aimable pour le lui remettre dès qu'il sera de retour ! Merci, Madame. Au plaisir, Madame.

L'aimable personne rabattit sa porte avec une fermeté que tempérait la crainte d'ébranler l'édifice, et Cambronne Mâcheclair descendit vers la poste.

À son heureuse surprise, Mlle Régicide y était de permanence.

– À cause des élections de Coquille-Rouge ! se plaignit-elle ; Monsieur le Préfet nous a toutes réquisitionnées !

– Donc, ma chère, tu vas pouvoir m'appeler le commissariat central de police...

– À La Pointe ?

– Oui. Et pas à la Pointe-des-Châteaux : à La Pointe-à-Pitre.

– Communication officielle, j'espère ?

– Deux cadavres.

Mlle Régicide prit un air gourmand.

– Racontez-moi, Papa Tim-Tim !

Il se cabra.

– Et le secret de l'instruction ?

Puis, souriant :

– Par contre, et ce sous le sceau du secret des

P.T.T., rien ne t'empêche d'entendre ce que je dirai à Monsieur le Commissaire.

Pauvre Régicide ! Du commissariat central, une épouse de planton répondit que, bénéficiant d'un congé administratif de six mois sans préjudice des cures thermales, le maître des lieux venait d'embarquer pour France et que, par ailleurs, Messieurs les deux autres commissaires, Messieurs les officiers de Police judiciaire, Messieurs les inspecteurs et Messieurs les agents avaient tous voyagé pour Coquille-Rouge. Il n'en fallait pas moins pour canaliser les citoyens qui, par pleins chars, affluaient des communes voisines et prétendaient voter en vertu d'inscriptions multiples consacrées par une possession annale, paisible et non promiscue.

Mlle Régicide appela la P.-J., puis les Renseignements généraux : personne pour décrocher.

— Essaye le Q.G. de la gendarmerie !

Au bout du fil, Cambronne Mâcheclair se trouva aux prises avec un sans-grade surmené :

— Deux morts, vous dites ? M'en fous ! Suis pas là pour ça ! Croyez pas que j'ai assez de turbin avec leur choserie d'élections ?

— Mais...

— Je suis seul dans la boîte ! Et vous savez pas pourquoi ? Parce qu'il y a un gros malin qui s'est amusé à cacher un bulletin de sa liste favorite dans le fond de chaque enveloppe mise à la disposition des votants ! Pigé ? Admettez que ça échappe à l'illettré descendu de son morne, ses godasses à la main, et qui vient de les enfiler pour entrer dans la mairie ? Il met son bulletin par-dessus l'autre. Résultat : si les deux sont pareils, ça compte pour un ; s'ils ne sont pas de la même couleur, ils s'annulent. Pas bête, hein !

— Je...

— Alors, les quelques collègues qui restaient ici, ils

sont maintenant à Coquille-Rouge, en train de vider les enveloppes une par une !

– Vous...

– Pour ce qui est de votre viande froide, si j'ai un conseil à vous donner, c'est de prévenir le Proc !

Du palais de Justice, une voix cérémonieuse répondit :

– Oui, ici le Tribunal. De quoi s'agit-il ?

– D'un assassinat, Monsieur le Pro...

– Monsieur le Procureur de la République est absent, de même que Monsieur le Juge d'Instruction et son greffier. Tous trois sont allés ouvrir une information à Coquille-Rouge : imaginez que les membres d'un bureau de vote ont été surpris en train de falsifier les listes d'émargement !

– Mais...

– Quant à moi, je ne demanderais pas mieux que de mettre à votre disposition mes modestes compétences, mais, si je m'absentais, qui resterait pour représenter le corps judiciaire ?

– Je comprends, Monsieur. Merci, Monsieur. À propos, ké nom à ou ?

– Je suis Monsieur Ville-d'Avray.

– Ah ! le...

– Oui, le concierge du Tribunal.

Mlle Régicide coupa la communication et considéra Cambronne Mâcheclair avec perplexité, presque avec suspicion :

– Enfin, c'est un ou deux ?

– Ma chè...

– Vous m'annoncez deux cadavres, vous dites le même bitin au garde-caca de service... et puis, à Monsieur Ville-d'Avray, vous ne parlez plus que d'un simple petit assassinat !

– Tu sauras tout, ma chè, quand j'aurai trouvé

37

quelqu'un d'officiel à qui raconter l'histoire-là. Appelle-moi La Basse-Terre : la Direction de la Police !

De cette maison redoutable, une voix subalterne rétorqua que Monsieur le Directeur et Messieurs ses Adjoints s'étaient transportés à Coquille-Rouge, des contestataires ayant envahi le dépôt des sapeurs-pompiers et mis les moto-pompes en batterie contre le service d'ordre.

– Reste en ligne avec La Basse-Terre, Régicide, et demande-moi le Parquet général !

Monsieur le Procureur général venait, lui aussi, de partir pour Coquille-Rouge, où un commando de pétroleuses avait incendié volontairement une urne et, involontairement semblait-il, le pantalon d'un officier de C.R.S.

– Nom d'un pétard ! tonna Cambronne Mâche-clair ; Régicide, sonne-moi le Préfet !

À cet ultime essai de communication, un attaché esseulé mit le point final :

– Je suis navré de ne pouvoir vous mettre en communication avec Monsieur le Préfet : primo, parce que les devoirs de sa charge l'ont appelé à Coquille-Rouge ; secundo, parce que nous venons d'être tenus informés qu'il a reçu en plein visage un fruit à pain dont nous voulons espérer jusqu'à preuve contraire qu'il n'était destiné qu'à ses subordonnés.

8

*Ceux qui sont vieux dans le pays
tirent une chaise sur la cour, boivent des
punchs couleur de pus.*

Saint-John Perse.

– Papa Tim-Tim, racontez-moi quand même...

– Régicide, ma chè, ce qu'une postière a le droit
d'écouter dans l'exercice de sa profession, on ne le
divulgue pas à sa personne privée.

– Après tout ce que j'ai fait pour vous ! Vieux
macaque !

– Ce que je peux seulement te dire, c'est que les
faits se sont déroulés sur l'Îlet.

– Hein ! hein ! C'est le Syrien qui s'est fait tuer !

– Malheureuse ! Comment sais-tu...

– Que M. Hama avait loué le pavillon de
Monique ? Mais tout le monde est au courant ici !
Monique en a tellement parlé !

– Et comment se fait-il que je n'en aie rien su,
moi ?

Mlle Régicide eut un sourire de pitié.

– Parce que vous êtes la loi.

Cambronne Mâcheclair en eut le souffle coupé. Pour la première fois depuis sa prestation de serment, une impression de solitude le glaça : celle d'être un aveugle tâtonnant parmi les voyants, si cordiaux, si prévenants, alors que, tout autour de lui, s'exhibaient ironiquement les letchis maraudés, les tourterelles braconnées, les chars en surcharge, les bœufs en divagation, les bébélés[1] cueillis sur l'étendoir de la voisine, les cacas déposés en lieux interdits.

Penché mélancoliquement sur le pupitre aux bottins, il libella ce télégramme : *Garde Champêtre Père-Labat à Procureur République Pointe-à-Pitre – Ai honneur porter connaissance assassinat et crimes divers constatés ce jour îlet communal.*

À pas pesants, il sortit du bureau de poste.

3 heures sonnèrent.

Il réalisa qu'il n'avait pas encore déjeuné.

Tout en regagnant ses pénates et pour s'y encourager, il récapitula le menu qu'il s'était commandé : salade de chou-palmiste, ouassous[2] apportés par un camarade de Cacao-Sainte-Rose, palourdes au court-bouillon, daube de tortue, malangas[3]. Il s'en mit à saliver.

Hélas ! Sa ménagère s'était déjà perdue dans la nature et, préalablement, elle avait fait plats nets. Il s'affirma qu'il châtierait Cerisette, qu'il la priverait de sucreries, qu'il lui baillerait des coups, qu'il la mettrait à la geôle, qu'il la congédierait. En attendant, il s'offrit un petit sec[4], puis se rabattit sur un

---

1. Pyjamas.
2. Écrevisses géantes.
3. Tubercules prisés aux Antilles.
4. Rhum pur.

reste de sardines à l'huile et un morceau de pain ramolli. Les sardines avalées, l'huile saucée, ayant murmuré amèrement le traditionnel « mon ventre est plein », il s'accorda d'aller prendre le café chez M'man Fonsine.

Cette bonne vieille, toute en ébène crevassé et en blanche barbiche frisottée, la meilleure cuisinière de la Guadeloupe et dépendances mais ne travaillant que sur commande et après en avoir été suffisamment priée, accueillit Cambronne Mâcheclair à bras ouverts, prêta une oreille maternelle à ses désillusions gastronomiques, l'installa dans la cage de verdure qui servait de terrasse à son caboulot, lui apporta sur un tray un carafon de rhum vieux, un ramequin de pruneaux au sirop, une bouteille d'eau de seltz bien fraîche, une cuillère à café et trois verres droits de dimensions différentes.

– Ma bonne amie, objecta-t-il timidement, j'ai déjà déjeuné !

– Un homme de ta force ne se suffit pas d'une boîte de sardines. Bois ton premier punch ! Pendant ce temps-là, je prépare les marinades.

Cambronne Mâcheclair ne demandait pas mieux. Dans le plus petit verre, il versa le rhum. Dans le moyen, pruneau et sirop. Dans le grand, l'eau de seltz. Il examina le tout d'un œil critique. Les doses lui paraissant correctes, il transvasa le rhum côté pruneau, touilla, huma, éleva le mélange en direction d'un convive supposé... et tic ! sirota son punch – un vrai, un guadeloupéen, à ne pas confondre avec le martiniquais, ce vitriol dissimulé sous les glaçons... et tac ! se décolla les papilles à l'eau gazeuse... et toc ! éructa.

Sa mélancolie, sa lassitude s'étaient dissipées. Qu'il faisait bon sous cette tonnelle ! À dix mètres de là, qu'elle paraissait lointaine, la route Coloniale, avec ses camions à banquettes en perpétuelle contravention ! L'ombre mouvante des mousselines[1] était aussi vaporeuse que leur feuillage. De petits oiseaux jaunes voltigeaient autour d'une soucoupe de sucre brut.

M'man Fonsine reparut, avec un plein plat de beignets de morue.

Une carafe de vin blanc aidant, Cambronne Mâcheclair engloutit tous les acras, puis une friture de balaous, puis un camembert.

Vers les 4 heures, il se leva d'un bond, frappa dans ses mains.

– Fonsine, combien ?

Elle sourit dans sa barbiche.

– Cent cinquante francs pour le vin.

– Et pour la nourriture ?

– Tu ne m'avais rien demandé.

– Ma chè, un garde champêtre n'a pas le droit d'accepter des cadeaux !

– Pour me prouver ton indépendance, un de ces jours, tu n'auras qu'à me dresser procès-verbal pour fermeture tardive !

1. Asparagus.

9

Ba yo pié, yo ka pouen main[1].
ZAGAYA, Proverbes créoles.

Il redescendit vers le « port ». Il lui sembla que, derrière lui, les portes s'entrebâillaient, les yeux riboulaient. Et pourquoi y avait-il tant de passants ? Et pourquoi chacun d'eux le dévisageait-il avec cette avidité ? Et pourquoi les deux plages, la gratuite et la bienséante, étaient-elles à ce point envahies de baigneurs ? Une meute de jeunes gens, dont la couleur de peau faisait paraître leurs slips encore plus blancs, aida à remettre le canot à flot et, plouf ! qui au crawl, qui à la brasse, se lança à sa poursuite. Tous les pêcheurs avaient surgi, prêts à prendre la mer. Plus de doutes ! Mlle Régicide avait babillé. Bientôt, toute la Guadeloupe aurait envahi l'Îlet...

Cambronne Mâcheclair lâcha les avirons, dégaina son pistolet, tira un coup en l'air.

1. Donnez-leur le pied, ils vous prendront la main.

43

– Au nom de la loi, il est formellement interdit d'aller là où je vais !

Les curieux marquèrent une hésitation.

– Tout contrevenant sera verbalisé et dispersé par la force armée ! Qu'on se le dise !

Cambronne Mâcheclair se remit à ramer.

Soudain, une main s'agrippa à son bordage.

– J'ai dit : Mouin tout seul !

La main plongea. Un derrière moulé de blanc fit surface et parut s'enfuir tout seul vers le rivage.

10

*L'île m'apparut sous un aspect tout
nouveau.*

R.-L. Stevenson.

Si près de l'Îlet que déjà il frôlait le fond, Cambronne Mâcheclair vira de cap et, lentement, attentivement, se mit à longer la côte.

De toutes les criques qui se succédaient, ombragées d'amandiers, liserées de gros sable blanc, seule celle où Monique Wellington avait accoutumé de débarquer présentait des traces de passage récentes.

Au sud-est, l'éperon corallien sur lequel était bâti le phare se terminait par une falaise bordée d'éboulis. Parmi ceux-ci, les vagues avaient charrié diverses épaves : des bambous gros comme des poteaux télégraphiques, un palétuvier écorcé à blanc, une vaste caisse oblongue en bois rouge très brillant.

Sans rien remarquer d'autre, Cambronne Mâcheclair poursuivit son périple jusqu'à l'estacade, qu'il inspecta pilier après pilier. Sur l'un, à une coudée au-dessus de l'eau, se voyait une traînée de peinture rose-bonbon. Un canot à l'amarre pouvait l'avoir laissée, si tant est que canot ait jamais été d'une couleur si raffinée. Cambronne Mâcheclair se confirma dans cette hypothèse en constatant que, sur l'anneau voisin, la rouille avait été décapée comme par le frottement d'un câble.

Il se hissa sur l'estacade. Çà et là, en direction du phare, la chaussée cimentée de celle-ci était incrustée d'une substance brillante assez comparable à du sucre cristallisé. Avec la pointe de sa jambette, Cambronne Mâcheclair en détacha une particule, qu'il goûta. C'était affreusement âcre. Il cracha. Près d'un bout de ferraille qui dépassait du sol, il ramassa un éclat d'acajou verni. De l'acajou ? mieux ! un pourpre aussi riche, aussi profond... c'était du mahogani.

Il s'enfonça dans le sous-bois. Seul, un Caraïbe d'origine – mais il n'en est plus qu'à la Dominique – eût pu déceler quelque indice dans cette futaie sans broussaille, sur ce sol matelassé de feuilles mortes et pourtant élastiques encore.

– Ohé, la Loi !
– Ohé, Phares-et-Balises !

Sans que Cambronne Mâcheclair l'ait vu ou entendu approcher, Monique Wellington était à quelques pas de lui.

– Laisse-moi te dire, mon ché ! je commençais à me demander si tu n'avais pas péri dans un naufrage...
– Rien de nouveau ?
– Sauf quelques badauds que j'ai refoulés.
– La petite fille ?
– Calme tes inquiétudes ! Elle est bien : elle dort.

Monique tira sur sa bouffarde.

– Quand même, il t'en a fallu du temps pour prévenir les autorités !

Cambronne Mâcheclair prit un air modeste.

– La seule autorité, aujourd'hui, c'est mouin ! Tous les autres mounes sont partis à Coquille-Rouge.

– Conclusion ?

– J'ai commencé l'enquête.

– Si tu veux, je t'aide.

Ils se mirent à battre le terrain, z'yeutant, tâtant, fouillant, flairant. Nulle part, ils ne découvrirent les indices traditionnels.

Le soleil était bas quand ils rejoignirent le phare. Monique s'en fut vers ses lentilles de Fresnel. Surmontant sa répugnance, Cambronne Mâcheclair rentra dans le living-room funèbre.

Les galets encerclant les cadavres provenaient d'un tas de cailloux déposé derrière le pavillon ; on avait pu les prendre sans être vu du phare.

Les œufs cassés, plusieurs douzaines, semblaient nettement trop gros pour le kiou des volailles locales.

Les sept verres posés symétriquement sur le guéridon étaient enrichis de filets dorés – un modèle très répandu aux Isles – et, à en juger par son arôme, le rhum qu'ils contenaient s'apparentait moins au Tabanon qu'au pyrogène.

Provenait-il de cette canette d'un litre, hermétiquement capsulée bien qu'apparemment vide ? Cambronne Mâcheclair tira de sa poche les gants blancs qu'il avait réservés jusque-là aux 14 juillet, fêtes de Schoelcher et autres solennités, les enfila, saisit la bouteille, la déboucha, en huma le goulot, ne décela aucune odeur, reboucha, reposa.

Les sept bougies, dont il ne restait que sept tronçons de mèche entourés d'un peu de cire, n'avaient rien à révéler.

Les piécettes superposées en sept piles équidistantes étaient des jetons d'un franc, frappés à l'époque bénie où les commerçants antillais n'arrondissaient pas leurs prix à la thune supérieure.

Sous le siège de Tartous Hama, traînait un peloton de la même corde qui avait servi à le ligoter : du septain de fort diamètre. Cambronne Mâcheclair en coupa un échantillon.

Dans un coin, il avisa quatre boîtes de carton moulé, comprenant chacune douze alvéoles ovoïdes et portant cette étiquette : *Ermitage de Maulette, provenance Houdan garantie.*

Non loin, il ramassa une torche en papier, à demi-consumée. Il la déroula avec précaution. C'était une proclamation de foi de Pie-V Passave, candidat aux élections de Coquille-Rouge. Quels gaspilleurs, ces extrémistes ! Le texte occupait à peine un quart de la page. Et quel manque de soin ! Les caractères avaient presque traversé le papier, réapparaissant en relief sur son verso.

Le plus pénible restait à accomplir. Cambronne Mâcheclair se pencha sur Fêt.-Nat. Cocoville, écarta le col de sa jaquette, déboutonna celui de sa chemise à plastron : toutes les marques de fabricant avaient été coupées.

En quittant la pièce, il arracha ses gants avec dégoût et les jeta.

Puis il alla quérir quelque réconfort à la cuisine :

– Chimène-Surprise, ma chè, ban mouin ti sec une bonne fois !

– Pas tini rhum dans foutue case-là ! Seulement whisky !

Il but son scotch sans glaçons, sans eau Didier[1], sans gourmandise, dans un unique souci de désinfection tout en s'étonnant qu'un spiritueux si chic et si cher pût avoir la même saveur que cette matière transparente qu'il avait prélevée sur l'estacade.

1. Eau minérale gazeuse de la Martinique.

Il demanda à la ménagère :

– Tini[1] z'œufs de France dans case à ou ?

Elle haussa les épaules en direction de l'armoire à provisions.

– Ou ka gadé[2] ou-même !

Il y avait là tout un stock de conserves fines : caviar, confits, poulet en gelée, asperges – mais pas la moindre boîte à œufs, vide ou pleine.

Cambronne Mâcheclair tira de sa poche la torche en papier :

– Ka ça y est ?

– Bitin à sauvages, ça ! Mouin tini z'allumettes.

Il s'en fut réveiller Marie-Socrate en lui tapotant l'épaule – une épaule dont la rondeur, la chaleur et l'élasticité le titillèrent.

– Tite fille, si tu ne veux pas passer la nuit ici, il va être temps d'embarquer.

Vivement, elle repoussa drap et couvertures. Elle était toujours vêtue en mariée. Cambronne Mâcheclair se surprit à regretter qu'elle n'eût pas allégé sa tenue. Pour se châtier de pensées si folâtres, il redevint enquêteur :

– Dans les provisions que vous aviez apportées, y avait-il des œufs de métropole ?

– Ce serait étonnant ; Tartous souffrait du foie.

– Il était fumeur ?

– Très.

– Que fumait-il ? la pipe ?

– Seulement des américaines.

– Lui arrivait-il de les allumer avec une torche en papier... comme celle-ci ?

– Je l'ai toujours vu se servir d'un briquet.

– Pie-V Passave, tu connais ?

1. Avez-vous.
2. Regarder.

49

– Tout ce que j'en sais, c'est qu'il est candidat contre le maire sortant de Coquille-Rouge.

– Bon... Tu as bien une autre robe dans tes bagages ? quelque chose de discret ? Tu as cinq minutes pour la mettre.

Sur la galerie supérieure du phare, il retrouva Monique Wellington et, l'ayant questionné encore sans avoir l'air d'y toucher, apprit de lui qu'il ne consommait jamais d'œufs métropolitains issus des chambres froides des paquebots. De plus, s'il admettait avoir fumé sur les lieux du crime – « ça ne nuit à personne, vieux frè, et puis ça chasse les mouches bleues » – il se déclarait certain de ne pas avoir mis sa pipe en activité à l'aide de la prose électorale du camarade Passave.

Cette inquisition ayant agacé Monique, il s'absorba ostensiblement dans la contemplation du paysage.

Soudain, après une exclamation, il tendit ses jumelles à Cambronne Mâcheclair.

– Mi ![1] Au pied de la falaise...

Cambronne Mâcheclair reconnut, parmi les éboulis, la grande caisse rouge aperçue au cours de sa circumnavigation. Ses poignées argentées ne laissaient pas place au doute. C'était un cercueil. Celui de Fêt.-Nat. Cocoville. Le morceau de mahogani ramassé sur l'estacade en provenait. Et aussi cette substance brillante à la saveur si déplaisante.

Il eut un haut-le-cœur :

– J'ai... j'ai sucé du vernis de boîte à dominos !

D'hilarité, Monique faillit lâcher sa bouffarde.

– J'ai une bouteille de Routa[2] dans mon poste de garde, ça t'aidera à digérer !

1. Regarde !
2. Marque de rhum agricole.

11

*C'est le soir couleur de paupières sur
les chemins tissés du ciel et de la mer.*
SAINT-JOHN PERSE.

Déjà l'Îlet bruissait, crissait, tintait de tous les invisibles musiciens du soir : grillons, grenouilles, oiseaux aussi peut-être. Le soleil s'évada d'un nuage grenat et plongea derrière les volcans de la Basse-Terre. Le jour se mit à décroître rapidement. Le ciel se teinta d'améthyste.

De ce final à grand spectacle, Cambronne Mâche-clair ne voyait rien, n'entendait rien – non qu'il fût blasé, mais tout bonnement parce que, assis du bout des fesses sur le bord de l'estacade, les bras en position de rétablissement, les pieds tâtonnant dans le vide, il cherchait comment se laisser choir dans le canot sans le faire chavirer.

Monique l'observait avec goguenardise.

– Tu comprends maintenant pourquoi je préfère accoster sur la tite plage là-bas !

– Monique, laisse-moi te dire, si tu m'aidais un peu... ?

– Tu es trop puissant[1], je tomberais avec toi !

– Les guiables de cette nuit ont bien réussi à faire passer comme ça une bière avec un mort dedans !

– Ils étaient au moins trois !

– Pas babiller ! Il va faire nuit dans cinq minutes !

Chimène-Surprise mit fin au palabre en sautant à pieds joints dans le canot. N'étant pas de grosse race, elle ne le fit pas culbuter. Elle l'étaya sur ses avirons. Marie-Socrate la rejoignit, puis Cambronne Mâcheclair.

Monique leur fit suivre les bagages – une mallette gainée de lézard pour Marie-Socrate, un vieux cabas pour Chimène-Surprise – puis :

– Tim-Tim-Bois-Sec, n'oublie pas de me reconduire le canot demain matin !

– J'y penserai, vieux frè. Bonne nuit. Garde-toi des zombies !

– Un fusil chargé de gros sel est tout ce qu'il leur faut.

Une fois le canot au « port », une foule se rua pour le haler en lieu sec, et les questions voltigèrent :

– Ké mounes-là ka tué[2] ?

– Cé femmes-là ka assassiné yo[3] ?

– Avec pistolet ou sabre ?

Pour se frayer un chemin et ensuite pour ne pas être suivi, Cambronne Mâcheclair dut recourir à un moyen extrême : brandir son carnet à procès-verbaux. Il mena ses passagères chez lui, constata que Cerisette était toujours en absence illégale, entraîna les susdites vers la route Coloniale.

1. Corpulent.
2. Quelles personnes ont été tuées ?
3. Ce sont ces femmes qui les ont assassinées ?

C'étaient deux témoins si précieux qu'il ne se croyait pas le droit de les lâcher avant l'arrivée du Parquet – au plus tôt, le lendemain matin. La meilleure solution consisterait à les loger en ville chez une personne de confiance, M'man Fonsine par exemple.

La nuit était complètement tombée. Les réverbères s'étaient allumés, puissants mais trop espacés. Des odeurs de charbon de bois et de morue s'exhalaient de toutes les cases.

Deux phares débouchèrent de la direction de Saint-François, éblouissants, et dévalèrent vers le centre du bourg.

Cambronne Mâcheclair murmura :

– Ampoules blanches, excès de vitesse, usage de feux de route dans la traversée d'une agglomération...

Bien qu'une auto arrivât en sens inverse et qu'elle se fût mise poliment en code, les feux en infraction ne réduisirent pas leur portée. Pis ! une fanfare de coups de klaxon retentit, provocante.

– C'est un char, jugea avec dédain Cambronne Mâcheclair.

Chimène-Surprise tendit le bras en glapissant :

– Arrestez !

Le véhicule stoppa dans un miaulement de pneus martyrisés – des pneus usés jusqu'à la corde ! C'était bien un char : un châssis Dodge avec une carrosserie de bois peinte en rouge et un toit bâché. Son abattant arrière ployait sous un bric-à-brac où se remarquaient plus particulièrement une énorme tortue marine et un cochon à taches noires, garrotté mais non bâillonné.

– C'est full ! nasilla quelqu'un depuis les profondeurs du char.

À travers ses étroites fenêtres à guillotine, on distinguait une mosaïque de têtes, les unes noires, les autres café crème, de chemises claires, de robes et de vestes aux couleurs suaves. On ne voyait plus de couloir central, des planches ayant été posées de la banquette de droite à celle de gauche en guise de strapontins. Le conducteur était coincé entre un notable dignement obèse et un lépreux qui avait déjà perdu trois doigts. Entre ces privilégiés et le commun des passagers assis, quinze malheureux se tenaient debout, accrochés d'une main à l'armature du toit.

– Une quarantaine de mounes en surcharge ! grommela Cambronne Mâcheclair, pourtant plus compréhensif à cet égard que gendarmes et C.R.S.

– Serrez ! faites de la place ! criait l'automédon, les yeux levés, comme pour implorer son accord, vers le Saint-Christophe scotché au-dessus de son pare-brise.

Une porte finit par s'ouvrir, celle donnant vers la chaussée, bien sûr, et Chimène-Surprise s'insinua dans le microcosme baladeur, lançant le traditionnel :

– Bonsoir, Messieurs et Dames.

Cambronne Mâcheclair eut un geste résigné :

– Va-t'en, ma fille, mais il faut que tu sois de retour à l'Îlet demain matin à 8 heures !

Avant même que la porte eût pu se refermer sur la ménagère, le char avait bondi vers Pointe-à-Pitre en abusant derechef de son avertisseur à sons multiples.

Cambronne Mâcheclair renonça à verbaliser. Il y avait trop de contraventions à détailler. Et puis, priorité devait être donnée à la rédaction d'un rapport sur l'affaire de l'Îlet.

Il demanda à Marie-Socrate :

– Toi, tu ne voulais pas rentrer à La Pointe ?

Elle secoua la tête avec découragement :

– Pour aller où ? Pas dans la famille de mon mari, en tout cas.

– Ils ne sont pas gentils avec toi ?

– Ils disent que je suis de couleur...

Il partit d'un gros rire :

– Moi, tite fille, j'aime bien l'abricot !

Il la prit par le bras – un geste un rien trop appuyé, trop prolongé – et il se sentit chaud jusqu'au lambiscoye[1].

– Ta famille, où y ka resté[2] ?

– J'ai un oncle à Capesterre...

– C'est trop loin.

Il l'emmena chez M'man Fonsine.

– C'est la tite dame dont le mari a été tué sur l'Îlet. Tu auras bien une chambre pour elle ?

La blanche barbiche s'inclina avec regret.

– Excuse-moi ! je serai full. Ma sœur vient coucher.

– Celle de Zévalos ?

– Non. Celle qui reste ici, à la sortie du bourg...

– Près du cimetière ?

– Justement. Elle a eu tellement peur cette nuit !

– Qu'est-ce qui lui a fait peur ?

– Elle n'a pas dit. Tu lui demanderas tout à l'heure.

1. Organe mâle.
2. Où habite-t-elle ?

12

*Élection san fraude, cé cou bouillon
san piment.*

ZAGAYA, Proverbes créoles.

En attendant, Cambronne Mâcheclair et Marie-
Socrate allèrent s'attabler dans la salle, à l'abri du
serein et des curieux. Elle se commanda un Matouba,
lui un vieux-pruneau.

Les murs étaient enfumés, les lames du parquet
disjointes, les meubles bancals ; la pin-up de Coca-
Cola et le calendrier d'Air France avaient longtemps
servi de w.-c. aux mouches ; par contre, nappes et
verres étaient impeccables.

De temps en temps, un quidam se hasardait, vite
évincé par M'man Fonsine :

– Ici, pas tini cinéma ! Ou so'ti une bonne fois !
– Et si mouin vini comme client ?
– Douleu' empêché mouin fè cuisine !

– Pas empêché ou ban[1] mouin ti punch ?

– Pas jou' z'élections !

– Pou'tant, ou ka pa ba'é[2] po'te-là !

– Po'te-là, cé po'te à mouin ! Foutt le camp, ou mouin ka crié la Loi[3] !

L'intrus filait, et M'man Fonsine, la barbiche hérissée, s'en retournait vers ses fourneaux.

Pour occuper Marie-Socrate, Cambronne Mâcheclair se mit à lui raconter ses aventures militaires, tout en regrettant bien de ne pas avoit été plus loin que Camp-Jacob.

Soudain :

– Bonsoir, Monsieur et Dames !

Le concierge de la mairie entra, l'air si officiel que M'man Fonsine n'osa rien lui objecter.

– Bonsoir Thucydide, dit Cambronne Mâcheclair, ké nouvelles à ou ?

– Tout est vieux, mon ché ! Au fait, que s'est-il passé sur l'Îlet ?

– Vié zaffé[4] ! Demain on pourra en parler. Que venais-tu m'annoncer ?

Thucydide fit une moue.

– J'ai eu la visite de Chicotte...

– Chicotte l'Alambic ?

– En personne.

À la moue de Thucydide, Cambronne Mâcheclair répondit par une lippe.

– Que veut-il ?

– Que tu passes chez lui le plus tôt possible.

– Il n'a pas tué un moune lui aussi ?

– Pas aujourd'hui. Il est calme.

1. Donner.
2. Fermé.
3. Ou j'appelle les autorités !
4. Une sale affaire.

Laissant Marie-Socrate sous la garde de M'man Fonsine, Cambronne Mâcheclair s'en fut chercher sa mobylette.

En s'arrêtant à deux reprises sur le chemin de son domicile.

Une fois, devant la « pharmacie ».

– Voyons, Cambronne ! Voudriez-vous que monsieur Blanchedent ait déserté Coquille-Rouge alors que le dépouillement vient seulement de commencer !

Une seconde fois, à la gendarmerie.

– Sont toujours là-bas et ça n'est pas près de se terminer.

– On se goume encore, Madame ?

– Ça, j'ignore. Mais ce que je sais, c'est qu'il s'est passé un drôle de coup quand les bureaux de vote ont été évacués sur réquisition de leurs présidents, comme d'habitude...

– On a volé une urne, Madame ?

– Mieux ! On en a trouvé deux de trop !

13

De sorte que, s'ils voient quelqu'un d'entre eux qui jure, qui s'enivre ou qui fasse quelque mauvaise action, ils ne manquent pas de dire de lui avec mépris : « C'est un misérable qui jure comme un Blanc, qui s'enivre comme un Blanc, qui est voleur comme un Blanc », etc.

Le Père LABAT.

La lune s'était levée, blanchissant les savanes, déchiquetant un peu plus les cocotiers, approfondissant les lagunes, zébrant la mer de flammes bleutées. Grillons et grenouilles faisaient toujours leur mélopée, mais on avait cessé de s'en rendre compte.

Après avoir parcouru peut-être deux kilomètres en direction de Pointe-à-Pitre, Cambronne Mâcheclair vira à gauche et enfila un chemin bordé de sang-dragons, qui menait vers la pointe d'un cap. Bientôt, le passage lui fut coupé par une barrière portant une plaque en zinc : *Sosthène Chicot. Distillateur.* Derrière, parmi les filaos, ces sortes de pins aux longues aiguilles pleureuses, on distinguait d'abord un moulin du Père Labat, sans ailes et sans toit, à l'intérieur duquel avait poussé un gros manguier, et, plus loin, un hangar en ruine, une maison basse. Pas plus que le moulin, la distillerie ne fonctionnait encore. Comme beaucoup d'autres, Chicot vivotait en vendant son contingent.

Les chiens s'étant mis à aboyer, un béké apparut. Il était grand, maigre, flottait dans ses « blancs ». Un vieux fusil tremblotait sous son bras. Sa voix, nasillarde, désossée, faite pour jouer du Jarry, menaça :

— Si ce caïman ne fout pas le camp, je lui envoie du plomb dans la gueule !

Principalement quand il était soûl, c'est-à-dire quand il avait dépassé sa dose quotidienne d'un litre de rhum à 60°, il avait la détente facile, et l'alcoolémie ne perturbait pas son coup d'œil ; il avait déjà estropié plusieurs noctambules dont le seul crime était d'avoir pénétré sans autorisation sur son « habitation ». Cambronne Mâcheclair se hâta donc de s'annoncer. Chicotte baissa son fusil, s'approcha, avança sa main décharnée dans une direction incertaine.

— Bonsoir, la Loi. Merci d'être venu.

Il ouvrit la barrière.

— Gare ta pétrolette dans la cour ! Avec tous les caïmans qui rôdent par ici...

Arrière-petit-fils d'un « géreur » qui avait échappé de justesse à une condamnation pour sévices à esclaves, il éprouvait envers la race de Cham une hargne non exclusive de familiarité. Pour lui, tout Noir était un caïman, mais, ceci posé, rien n'empêchait de lui prêter un bœuf, de lui emprunter sa fille ou de se puncher avec lui.

– Viens boire !

Ils allèrent dans la salle à manger – une pièce mal tenue, éclairée par une lampe à essence qui semblait avoir plusieurs fois pris feu. Sur une table de bois initialement blanc, trônait une bouteille crasseuse, pleine à demi d'un liquide trouble.

Chicotte posa à proximité deux verres en plastique – une riche invention ! ils étaient tombés des dizaines de fois sans se lézarder – sur lesquels poussière et sirop s'étaient agglomérés en coulées pisseuses.

– Sec ou punch ?

– Sec, s'il vous plaît, monsieur Chicotte.

Plus fort serait l'alcool, moins virulents les microbes !

Ils s'assirent sur des tabourets si désarticulés qu'on pouvait s'en servir comme berceuses. Chicotte empoigna la bouteille avec une vigueur qui fit paraître ses phalanges transparentes et, non sans arroser la table, versa deux monstrueuses rations de son appétissant breuvage. On trinqua, à la créole, sans entrechoquer les verres, en les tendant simplement l'un vers l'autre, et on commença la dégustation. Malgré un bon entraînement, Cambronne Mâcheclair se sentit l'œsophage en feu. Chicotte, lui, souriait béatement.

– En transparence, il est moins joli que le Cristal-de-Roche[1], mais, en degré...

Sous la lumière crue de la lampe à essence, il avait un faciès effrayant. On ne pouvait lui donner d'âge. Son litre de rhum quotidien avait tout brûlé en lui, ne laissant subsister qu'une chevelure rare et déteinte, une peau spongieuse tantôt blafarde tantôt rosâtre, des yeux de poisson mort, une bouche amincie et tombante, une pomme d'Adam qu'agitait un incessant mouvement de déglutition.

1. Rhum agricole.

– Si je t'ai mandé, dit-il enfin, c'est parce qu'on m'a raconté qu'il y aurait eu vilain sur l'Ilet...

– Secret de l'instruction, monsieur Chicotte !

Le distillateur par procuration haussa ses maigres épaules.

– Ce qui s'est passé là-bas, je m'en fiche ! D'autant plus que, si c'est cet honnête commerçant de Tartous Hama... Mais je me demande si ça n'aurait pas un rapport avec... Figure-toi que, cette nuit, il y a un cochon de caïman qui m'a volé mon canot ! Il a d'abord essayé de faire sauter le cadenas. Comme il n'y parvenait pas, il a limé la chaîne. En temps normal, je l'aurais entendu. J'ai le sommeil léger. Avec tous les caïmans qui sont déjà venus me piller... Mais...

– Mais, monsieur Chicotte ?

– Hier soir, j'avais deux compès à souper : Deleatur, l'imprimeur, et Cacambo, le douanier. Ils ont voulu repartir sur les 11 heures ; ils se sont alors aperçus que leur batterie était à plat. On pouvait bien rouler sans lumières, il faisait clair de lune, mais avec ce caïman de juge de paix qui vient de nous arriver de métropole, ça va chercher dans les trois jours de geôle ! Quant à les ramener à La Pointe dans ma Chrysler, ç'aurait été du tout comme, vu que, depuis mon dernier choc, je roule sans optiques et sans ampoules à l'avant !

– Alors, monsieur Chicotte ?

– Alors, on a joué aux dominos jusqu'au petit matin. Ça fait du bruit, et puis il faut bien qu'on cause... Je suppose que c'est pour ça que je ne me suis aperçu de rien – ni qu'on me volait mon canot, ni qu'on me le ramenait.

– Dans ce cas, monsieur Chicotte, comment êtes-vous sûr... ?

– À cause d'un tas de bitins : le cadenas faussé, la chaîne sectionnée, les traces dans le sable ; et puis, surtout, le canot est détérioré.

– Beaucoup, monsieur Chicotte ?

– La peinture est grattée tout le long d'un plat-bord.

– Vous pourriez porter plainte pour dommages volontaires...

– Une peinture que j'avais refaite il y a huit jours !

– De quelle couleur, monsieur Chicotte ?

– Cuisse-de-nymphe-émue.

– Plaît-il, monsieur Chicotte ?

– C'est difficile à expliquer. Viens voir plutôt !

Chicotte alluma son sébi[1] et ils sortirent. Derrière la maison, les filaos descendaient en pente douce jusqu'à la mer. La brise les faisait ronfler en sourdine. À un piquet était amarré le canot. Le cuisse-de-nymphe-émue, cher à l'âme poétique de Chicotte, s'identifiait avec la traînée que Cambronne Mâche-clair avait découverte, à l'Îlet, sur un pilier de l'esta-cade.

Quant aux traces de pas, elles avaient été soigneusement balayées.

1. Lampe à pétrole.

14

Ka ou vlé fè, mouin ka senti la fosse[1]...

BAUDOT.

– Bonsoir, Philogène !
– Bonsieur, la Loi ! Ou ka rivé bien[2] ! J'ai un rhum aux mombins...
Cambronne Mâcheclair eut un geste navré.
– Excuse-moi, mon ché ! Jamais plus de six par jour.
– Un dimanche...
– Il est vrai que, parmi les six, je compte un whisky...
– Ça ne compte pas !
Cambronne Mâcheclair cala sa mobylette et entra.
Après avoir siroté la moitié de son verre, il demanda :

1. Quoi que vous vouliez faire, je sens la fosse (tombale).
2. Tu arrives bien.

64

– Philogène, laisse-moi te dire... Aujourd'hui, tu n'es pas allé dans ton cimetière ?

– Bien sûr que non.

– Samedi soir, tu l'avais fermé à clé ?

– Fermer, ça oblige à aller rouvrir...

Cambronne Mâcheclair envia Philogène : gardien du champ de repos, il n'y apparaissait qu'à l'épilogue des enterrements, à l'heure des pourboires, et, fossoyeur officiel, il sous-traitait pour une bouchée de pain avec des Dominicains en chômage.

Certes, une si brillante sinécure avait sa contrepartie : Philogène faisait partie de l'équipe du maire – ce qui, en campagne électorale ou en période d'agitation sociale, l'exposait, tantôt à recevoir des horions, tantôt à être poursuivi pour tapage injurieux, coups et blessures ou menaces sous condition.

Ces considérations amenèrent Cambronne Mâcheclair à lancer :

– Tu n'es pas allé à Coquille Rouge ?

Philogène rit grassement.

– Pour une fois, c'est M'man République qui offrait le service d'ordre !

Cambronne Mâcheclair but encore une légère goutte. Puis, feignant l'indifférence :

– La nuit dernière, on a profané une de tes tombes...

Philogène abattit son énorme poing sur la table.

– Je parie que c'est encore cette vieille sorcière de Basilide. Tu te rappelles ? L'année de l'élection du maire, elle m'avait déjà volé un crâne...

– Et le tribunal l'a acquittée !

– Parce que les témoins avaient eu peur. Quand tu trouves devant ta porte un crapaud bâillonné ou un lézard enfermé dans une bouteille...

– Ce qui a été volé cette fois me semble un peu lourd pour une faible femme, fût-elle aidée par Satan.

– Ce n'est pas une pierre tombale ?

– C'est un cercueil en mahogani...

– Rien que ça !

– Avec Fêt.-Nat. dedans.

– Tambour[1] !

– Je voudrais que tu me donnes ton avis sur la façon dont on a procédé.

Philogène s'appliqua une claque énergique sur le genou.

– Puisque c'est pour toi, j'irai voir la tombe demain matin.

Cambronne Mâcheclair se leva.

– On y va une bonne fois.

Philogène se fit mou sur sa chaise.

– Vous êtes tous pareils, dans la police ! Dès qu'on a de la bonne volonté, vous abusez.

– Mon ché, si ce n'est pas moi qui abuse ce soir, demain ce sera monsieur le Procureur.

Philogène se redressa – sans encore se lever.

– Soit, allons-y ! Mais pas sur une patte !

– Laisse-moi te dire, je ne bois plus rien ! J'aime mieux partir sur une patte que sur quatre.

– Pour te donner du courage... ?

Cambronne Mâcheclair imagina soudain leur expédition : les lucioles jaillissant d'une tombe vers l'autre comme âmes en divagation ; l'appel rauque du mabouya croc-croc[2] ; le frôlement rapide des guimbos[3] ; toutes sortes d'ombres auxquelles l'imagination prête des formes et des actions surnaturelles...

– Ban mouin[4] tite goutte ! soupira-t-il.

---

1. Tonnerre !
2. Lézard à la voix sinistre.
3. Chauves-souris.
4. Donne-moi.

15

*L'obscurité est toute pleine d'em-
bûches et de mauvaises rencontres.*
                          Eugène REVERT.

S'éclairant d'une lampe à acétylène, ils avaient
pénétré dans le cimetière.

– Mi là[1] ! s'exclama Philogène.

– De l'huile d'auto, dit Cambronne Mâcheclair, et
toute fraîche. Il n'y a pas eu d'enterrement
aujourd'hui ?

– Non. En ce moment, le travail est un peu mort.

L'inopportunité de l'expression n'échappa pas à
Cambronne Mâcheclair et, pour n'être pas tenté d'en
rire, il enchaîna très vite :

– La famille de Fêt.-Nat. avait bien loué le break
de Théobald ?

– Le défunt aimait tellement les grosses américaines !

1. Regarde !

67

– Un moteur neuf ne fuit pas. Baisse un peu ta lanterne, que je voie s'il y a d'autres traces !

La terre était trop sèche pour que pneumatiques ou pieds y aient laissé leur empreinte.

Presque au bout de l'allée, ils trouvèrent une nouvelle tache d'huile – une mare, cette fois.

– Ici, on a stationné longtemps.

– Le caveau de la famille Cocoville est à côté.

Ils s'engagèrent entre deux rangées de tombes. L'herbe était encore aplatie. Quelque chose de flasque sauta devant eux. Un coup de vent fit vrombir un filao. Philogène braqua son faisceau lumineux sur l'avant-dernière demeure de Fêt.-Nat.

La fosse béait. La dalle gisait à côté, ébréchée. Fleurs et couronnes jonchaient les alentours.

– Pour faire ça, dit Philogène, il fallait au moins être deux. Mais une besogne aussi bâclée n'a pas dû prendre plus de vingt minutes.

En signe de mépris, il cracha.

16

Une femme surprise par une appari-
tion n'a qu'à relever ses jupes au-dessus
de sa tête.

Eugène REVERT.

– Alors, M'man Titine, on a eu peur cette nuit ?
– Tellement !

M'man Titine et M'man Fonsine se ressemblaient
comme deux gouttes de café, à cette seule différence
près que la première ne portait pas la barbiche mais
la moustache.

– Ka ou vu ? ka ou entendu [1] ?

M'man Titine frissonna. Puis :

– Hier, le petit-fils à mouin est venu dîner avec sa
« cocubine ». Pas le petit-fils qui est facteur. Celui
qui travaille à la Routière. Fonsine m'avait gardé du
chatrou [2]. Mouin, j'avais préparé un ripage de

1. Qu'avez-vous vu ? Qu'avez-vous entendu ?
2. Ragoût de pieuvre.

concombres, un colombo[1], un gratin de christophines[2] ; j'avais acheté du rosé et du mousseux...

– Un bon dîner, M'man Titine !

– Oui, mais j'avais trop vinaigré les concombres. Enfin, ce qui est fait est fait ! On a mangé. On a parlé. Agénor m'a dit qu'il attendait famille pour le mois de décembre. Comme ça fera leur quatrième ti-moune, ils sont presque décidés à se marier lors de la prochaine mission.

– Une bonne idée, M'man Titine !

– Mais ça m'étonnerait que ce bitin-là se fasse ! Agénor a trois autres ti-mounes d'un autre côté et il y aurait de la jalousie. Enfin... Chaque moune save ça qui n'ni en canari à i[3] !

– Pour en revenir à ce qui vous a effrayée, Agénor était-il encore là quand ça s'est produit ?

– Non. C'est quand je suis allée vider mon pottchamb...

– Quelle heure était-il ?

– Il était tard.

– Avant ou après minuit ?

– Tout ce que je sais, c'est que c'était après la Marseillaise.

(Celle qui, chaque soir à 9 heures, clôturait les émissions de Radio-Guadeloupe.)

– Longtemps après ?

– Mon ché...

Cambronne Mâcheclair n'insista pas. Qu'il s'agisse des minutes, des heures, des jours, des ans, la chronologie indiffère les Antillais. Ils attendent et se font attendre avec une égale sérénité. Aux précisions arbitraires des horloges et des calendriers, ils préfèrent

1. Ragoût au cary.
2. Espèces de courges.
3. Chacun sait ce qu'il a dans sa marmite.

quelques points de repère bien concrets : l'éruption de la Montagne Pelée, le cyclone de 1928, le proconsulat du gouverneur Sorin, le moment du punch, la Marseillaise de Radio-Guadeloupe. Il demanda :

— Qu'est-ce que vous avez vu en allant vider pott-chamb-là ?

M'man Titine leva les mains au ciel, puis se les étala devant les yeux.

— Mes amis !

— Quoi donc ?

— Des flammes qui volaient entre les tombes !

— Des bêtes à feu...

Elle écarta les mains d'un bon demi-mètre.

— Des flammes longues comme ça !

— Des torches ? des sébis ?

— Peut-être.

— Pas vu les mounes qui tenaient bitins-là ?

— Mouin pas ka osé gadé[1] ! Mouin ka filé dans case à mouin !

— Pas entendu tintamarre ?

— Mes amis ! D'abord des coups : toc ! toc ! toc ! Et puis des soupirs : han ! han ! Et puis un grincement : crrr ! Et puis : baoum ! baoum ! bang ! comme tout cinmitié ka croulé !

— Pas entendu autre chose encore ? Une auto ?

— Si.

— Dans cinmitié-même ?

— Là-même... ou à côté.

— Avant ou après tintamarre ?

— Ti moment après... ou peut-être avant.

— Elle arrivait ou elle partait ?

— Elle s'en allait.

— Vers La Pointe ou vers Saint-François ?

1. Regarder.

71

– Mouin passave[1] !

– D'après le bruit de son moteur, qu'est-ce que c'était ? une voiture particulière ? un char ?

– ...

– Un bitin tout neuf ? un tacot ?

– Avant ka pa'ti, loto-là[2] ka fè : drin ! drin ! drin !

– Oser klaxonner dans un cimetière !

– Pas coin : drin !

– On a donné plusieurs coups de démarreur ?

– C'est ça même.

1. Je ne sais pas.
2. Cette auto.

17

Premié couché gagné cabane.
ZAGAYA, Proverbes créoles.

– Il y a deux secrets : savoir les nettoyer, savoir les battre...

Tout en descendant la rue Hégésippe-Legitimus, Cambronne Mâcheclair commentait à Marie-Socrate les lambis[1] de M'man Fonsine.

Il s'interrompit pour toussoter. Puis :

– Laisse-moi te dire... Ma ménagère n'est peut-être pas encore de retour. Cela ne te fera pas peur d'aller quand même coucher chez le vieux Papa Tim-Tim ?

– Je ne vois pas quel mal vous pourriez me faire !

S'interdisant d'approfondir si elle le considérait comme hors d'âge sur le plan érotique, Cambronne Mâcheclair approuva :

– C'est très juste : tu seras sous la protection de la Loi.

1. Strombes.

Abandonnant toute emphase :

– Tu prendras ma chambre. Les draps sont tout propres d'avant-hier. Il y a une moustiquaire neuve.

– Et vous, Papa Tim-Tim ?

Il prit un air affairé :

– D'abord, il faut que je rédige mon rapport à monsieur le Procureur...

– Et quand vous en aurez fini ?

– J'ai une autre chambre... au sud...

Une fois seul dans sa salle à manger, il installa à l'endroit le mieux éclairé la table pliante et une des dix-huit chaises, prit un crayon à bille, une ramette de papier écolier, et il commença :

COMMUNE	*RÉPUBLIQUE*
DE PÈRE-LABAT	*FRANÇAISE*
Guadeloupe	*LIBERTÉ, ÉGALITÉ,*
POLICE MUNICIPALE	*FRATERNITÉ*

OBJET : Découverte de trois cadavres, dont un déjà mort et un autre qui a pu être ranimé.

Le Chef de Poste
  à monsieur le Procureur de la République près le tribunal de première instance de La Pointe-à-Pitre.

J'ai respectivement l'honneur de vous porter en connaissance les faits suivants...

Il était plus d'une heure après minuit quand il calligraphia la formule terminale :

D'où rapport fort clos que nous transmettons à nos Chefs en ce jour, mois et an que dessus.

Une signature appliquée, compliquée. Puis il resta sans bouger sur sa chaise, à souffler, à rêvasser.

18

Nos bonnes sont entrées aux corolles des robes.

SAINT-JOHN PERSE.

Il sursauta.

Dehors, la barrière grinçait, à petit bruit, lentement, comme poussée en catimini.

Sur le ciment de la galerie, du gravier crissa.

Il empoigna son pistolet et, à pas feutrés, alla se poster près de la porte d'entrée.

Celle-ci s'ouvrit pouce à pouce, pour laisser s'insinuer une jeunesse à la peau presque noire (mais souple et lisse), à la robe vert-Nil trop brillante pour être en vraie soie, à la petite poitrine pointue, aux hanches plus gauloises que hottentotes, aux cheveux décrêpés de la veille (c'est-à-dire déjà bien près de leur état naturel).

– Cerisette !

D'émoi, elle laissa tomber ses souliers à hauts talons, qu'elle tenait à la main.

– Cerisette, c'est à cette heure-ci qu'on rentre !

Il la prit par les poignets, rudement.

– D'où viens-tu ?

Elle geignit :

– Du bal.

– Où donc ?

– À Mare-Gaillard.

– Comment t'y es-tu rendue ?

– Le char de Montrésor a voyagé spécialement.

– Et une fois là-bas... ?

– Le chauffeur ne voulait pas s'arrêter de danser. J'ai attendu... tellement ! tellement !

– Pas attendu dans les cannes, par hasard ?

– Non, je le jure !

Cambronne Mâcheclair avait trop l'habitude d'interroger les contrevenants pour se fier à un serment. Par ailleurs, son estomac frustré d'un déjeuner du dimanche appelait justice. Il fit passer les deux poignets de Cerisette dans une seule de ses grosses mains, déboucla son ceinturon, tira la noctambule dans la petite chambre au sud, barra la porte.

Les coups de cuir claquèrent.

Cerisette hurla en cadence.

Puis, très chrétiennement, ils se prouvèrent leur absence de rancune.

19

Ils s'aiment beaucoup les uns les autres et se secourent volontiers dans leurs besoins.

Le Père LABAT.

Étaient-ce les événements de l'Îlet ? Les coqs qui prenaient la lune pour le soleil ? Les mangues qui s'écrasaient sur les toits de tôle avec un bruit mou et des échos sonores ? Les chiens sans domicile fixe qui guerroyaient autour d'une trace de chienne en chaleur ou, plus simplement, d'une poubelle ? Suant et oppressé, Cambronne Mâcheclair ne parvenait pas à reprendre sommeil.

Il se leva, ouvrit les volets, respira la tiédeur humide de la nuit, retint une exclamation : le phare ne tournait plus !

Étant donné qu'il fallait, toutes les six heures, remonter les poids qui l'actionnaient, une conclusion s'imposait : quelque chose était arrivé à Monique Wellington !

Cambronne Mâcheclair s'habilla en hâte, plaça un chargeur neuf dans son 7,65, en mit deux autres dans ses poches, dégringola vers le port, remit à l'eau le canot des Phares-et-Balises...

L'Îlet semblait désert.

Cambronne Mâcheclair n'en traversa pas moins le bois d'amandiers par une sente détournée, tendant l'oreille, écarquillant l'œil.

Il ne s'était pas trompé : Monique gisait inanimé dans son poste de garde.

Après s'être assuré qu'il n'était qu'assommé, Cambronne Mâcheclair se hâta de remonter les poids.

La plate-forme supportant les lentilles de Fresnel se remit à pivoter sur sa cuve de mercure.

Quand Monique reprit ses esprits, tout ce qu'il put dire est qu'il avait été agressé par-derrière.

– Pas seulement, laisse-moi te dire, pour le plaisir de te goumer ! bougonna Cambronne Mâcheclair, qui ajouta, inquiet :

– Prête-moi une lampe, que j'aille voir si...

Cinq minutes plus tard, il revenait, perplexe.

– Dans ton pavillon...

– Ka ça y est ?

– On a subtilisé...

– Fêt.-Nat. ?

– Ce serait trop simple ! Le seul bitin qui manque là-bas, c'est la bouteille vide qui était sur le guéridon.

Monique se frotta le crâne avec ressentiment.

– Si c'est pour si peu qu'on m'a fait une si grosse bosse !

– Il doit y avoir quand même...

Un coup de sirène les fit taire.

Ils grimpèrent jusqu'à la galerie.

– Mi là, vieux frè !

Enguirlandé de lumières, tel le Titanic voguant

vers l'iceberg sacrificateur, un paquebot blanc doublait l'Îlet.

Cambronne Mâcheclair sentit ses jambes mollir.

– Dire que, si j'avais dormi dans ma chambre habituelle, qui donne vers le haut du morne, je n'aurais pas remarqué que ton phare était en panne !

Monique eut un sourire en coin.

– Comme quoi, pour sauver le Cristobal, il était utile d'avoir une ménagère avec vue sur la mer !

DEUXIÈME JOURNÉE
(Lundi 4 juin 195...)

1

> *Qu'avait-il été faire dans cette caverne où le suffrage universel n'était pas mieux traité qu'un artichaut ?*
>
> Raphaël TARDON.

– Cambronne ?
– Monsieur le Maire ?
– Quelle heure ?
– 8 h 20, Monsieur le Maire.
– Ils devraient être arrivés. C'est badiner la magistrature municipale !

Jamais M. Onésiphore Blanchedent n'avait montré tant d'impatience. D'une part, il était revenu de Coquille-Rouge aux aurores et, d'autre part, pour pallier le manque de sommeil, il avait trop forcé sur la caféine. Quant à Cambronne Mâcheclair, qui n'avait guère plus dormi mais ne disposait pas d'un stock de médicaments, il ne demandait pas mieux que d'attendre le plus longtemps possible dans ce bureau ombreux, accueillant à la brise, où, au-dessus de M. le Maire en personne, trônaient en effigie l'immortel Victor Schoelcher et le président de la République en fonction.

– Du temps de Sorin, tonna M. le Maire, la justice était plus pressée !

Il souleva nerveusement ses cent trente kilos et s'en alla jouer les Sœur Anne sur le balcon. Curieuse silhouette ! Moyennement grand, il n'était pas monstrueusement obèse mais remarquablement trapu – de grosse race, disait-il. On ne s'avisait pas qu'il eût un cou. Sa tête, mi-chauve, mi-tondue, semblait n'avoir d'autres aspérités qu'une paire d'épaisses lunettes rondes et le nez minuscule sur lequel elles prenaient appui. À ce physique était assortie une voix aux sonorités de muid vide.

– Les hauts messieurs du tribunal administratif condescendront-ils à annuler Coquille-Rouge ? s'interrogea-t-il.

Après le défilé des électeurs passe-volants, après le miracle du don de la voix aux enveloppes muettes, après la falsification ratée des listes d'émargement, après les banales bagarres, après l'incendie mal placé du lieutenant de C.R.S., après l'offrande d'un fruit à pain à M. le Préfet, après l'évacuation traditionnelle des bureaux de vote, après la génération spontanée de deux urnes, après les menues privautés qu'un dépouillement sans témoins permet de prendre avec la couleur des bulletins, les élections de Coquille-Rouge s'étaient achevées d'une manière inédite.

Une dactylo, binoclarde et insignifiante, avait apporté le procès-verbal. On l'avait relu soigneusement : liste Isidore Cabouite, 5 736 voix – liste Codaine, 3 voix – liste Pie-V Passave, 0 voix. On avait signé la première frappe. Sur la demande de la

dactylo, toujours infirme des yeux et de la personnalité, il avait fallu signer ensuite un double pour M. le
Sous-Préfet, un pour les archives municipales, un
pour M. le Procureur de la République, un pour M. le
Juge de Paix, un pour l'Institut national de la statis-
tique, un pour M. le Vice-Recteur... Tant de doubles
qu'à force de s'emprunter, se rendre, se remprunter
les stylos à bille, on en avait le tournis ! La dactylo, de
plus en plus gauche et falote, avait remporté le tout et
MM. les politiciens, avec le sentiment du devoir
accompli, s'en étaient repartis vers leurs fiefs.

Par quel malencontreux hasard, la première frappe
avait-elle disparu et les exemplaires confectionnés au
papier carbone, qui, seuls, parvinrent au palais d'Or-
léans, portaient-ils des résultats intervertis ? Toujours
est-il que Radio-Guadeloupe, après la Marseillaise du
matin, avait annoncé : liste Codaine, 5 736 voix –
liste Pie-V Passave, 3 voix – liste Isidore Cabouite :
0 voix !

– Se faire couillonner comme ça ! mugit en sourdine M. le Maire.

Vers les 9 heures, une 202 décapotable et une 15
Citroën s'arrêtèrent devant la mairie. Onésiphore
Blanchedent dévala l'escalier d'honneur. Il arriva
dans le hall pour voir les officiels s'engouffrer dans
les toilettes, puis en sortir un par un, secouant leurs
mains humides et les essuyant, qui sur son mouchoir,
qui sur son pantalon.

– Monsieur le Maire, je pense ?

La question avait été posée, d'une voix saccadée,
suffisante et cependant affable, par un long jeune
homme blafard et voûté, qui, bien que glabre, avait
un air de famille avec Napoléon III.

– Je me présente, poursuivit le jeune homme : Boi-
d'ho, substitut faisant fonction de Procureur.

– Très heureux ! dit M. le Maire.

– Vous voudrez bien excuser notre retard. Je viens d'avoir une panne de caoutchouc. Ces messieurs ont eu l'obligeance de m'aider. De là, notre commun besoin d'ablutions.

M. le Maire réalisa avec gêne que les arrivées d'eau de ses lavabos se muaient en pommes de douches, que la femme de ménage avait fait prévenir qu'elle était malade et que, pour décourager les voleurs, les porte-serviettes étaient dégarnis depuis des années.

M. Boid'ho continuait les présentations :

– Monsieur Aber, Juge d'Instruction...

Pas tout à fait trente ans, pas très grand, le teint mat, un profil de médaille carthaginoise, l'appareil photo en bandoulière, le bras distendu par une serviette bourrée d'où émergeait un flash.

– Enchanté ! dit M. le Maire.

– Monsieur le Docteur Jovial, Médecin-Légiste...

Même âge, foncé de peau, les traits fins, le nez aquilin, l'œil et la bouche tombants, le geste las – farci de complexes, certainement.

– Charmé ! dit M. le Maire.

– Monsieur Nirelep, Greffier.

Un mulâtre clair, filiforme, au visage honnête.

– Ravi ! dit M. le Maire.

– Quant à Monsieur le Commissaire Glandor, je ne lui ferai pas, non plus qu'à vous-même, l'affront de le présenter...

Toute l'île le connaissait et le craignait. Petit, couleur de cendre froide, impeccable dans son complet de fil-à-fil, les mains enveloppantes, un sourire pour chaque circonstance, lorgnant d'un œil vers la préfecture et de l'autre vers le sénat, il passait pour devoir sa réussite à son art de flairer moins les pistes que le vent.

– Messieurs les inspecteurs Eschylle, Néron, Voltaire et Attila...

– Profondément honoré ! dit M. le Maire, qui enchaîna cérémonieusement :

– Si tous ces Messieurs veulent bien me suivre dans mon cabinet, ils pourront entendre l'agent municipal qui a procédé aux premières constatations...

Avant même de le voir, ils l'entendirent – ronfler.

– Cambronne ! tonnait M. le Maire.

– C'est le quart d'heure de relaxation ? suggérait M. Boid'ho.

Le Commissaire Glandor eut un sourire glacial.

– L'on peut se demander comment un tel laisser-aller sera apprécié en haut lieu.

Cambronne Mâcheclair se sentit victime de tant d'injustice qu'il se mit à ruer dans les brancards :

– Si je crève de sommeil ce matin, c'est parce que, depuis hier matin, je fais le travail de tous ceux qui faisaient les couillons à Coquille-Rouge !

– Cambronne ! menaça M. le Maire.

Le Commissaire Glandor devint si souriant que c'en était effrayant.

Tel Napoléon (Ier) pinçant l'oreille d'un grognard, M. Boid'ho tapota amicalement l'épaule de Cambronne Mâcheclair :

– Comme dit le proverbe, langue cé yon bon bâton ![1]

Le Commissaire Glandor eut un sourire respectueusement réprobateur.

M. Aber, qui devait rêver photographie, n'avait pas bronché.

L'atmosphère se détendit à l'arrivée d'un planton portant sur un tray[2] deux bouteilles de champagne, des coupes et de la glace.

1. La langue est une bonne arme.
2. Plateau.

Avec le même élan qu'aux banquets de fêtes patronales, M. le Maire porta son toast :

– Messieurs, à votre heureux et fécond séjour dans notre belle commune !

Ce que M. Boid'ho parodia ainsi à l'oreille de M. Aber :

– Messieurs, au guillotiné encore inconnu !

2

L'on n'a pas toujours bien su non plus montrer la largeur de vues nécessaire à l'égard des personnels locaux.

Eugène REVERT.

– Garde Champêtre, dit M. Boid'ho, je vous remercie de votre exposé et vous félicite de sa clarté.

– Monsieur le Procureur...

Cambronne Mâcheclair s'interrompit, tant par confusion que pour extraire une liasse de sa poche.

– Mon rapport, Monsieur le...

D'un regard, M. le Maire le cloua sur place.

– Cambronne, pour la bonne forme, vous voudrez bien effectuer la transmission de ce rapport par écrit et sous mon couvert.

Cambronne Mâcheclair se mit à quatre pattes tout en ahanant.

– Onésiphore...

– Tu... vous dites ?

– Rien, Monsieur le Maire.

Sous le vaste bureau de poirier verni, il ramassa une petite feuille à en-tête qu'oblitérait l'empreinte d'un talon.

– Mon soit-transmis. Je savais bien qu'il avait dû tomber par là !

– Monsieur le Maire, dit M. Boid'ho avec un sérieux que démentait son regard devenu pétillant, toujours pour la bonne forme, je vous serais très obligé de bien vouloir, à votre tour, me transmettre ce document sans délai et par écrit.

M. le Maire émit un bruit qui tenait à la fois du soupir et du grondement souterrain, se laissa crouler dans un fauteuil, décapuchonna son stylo.

D'une autre poche, Cambronne Mâcheclair tira un rouleau de pellicule étiqueté d'un second soit-transmis.

– Monsieur le Maire, laissez-moi vous dire, il y a encore ti bitin-là à transmettre sous le couvert à ou.

– Ka ça... Qu'est-ce ?

– Des photos, Monsieur le Maire, que j'ai prises en arrivant sur les lieux.

M. Aber leva la tête avec intérêt.

– J'ai apporté ma cuve. Je les développerai avec les miennes.

Ayant achevé ses travaux d'écriture, M. le Maire remit rapport et pellicule à M. Boid'ho, qui les repassa à M. Aber :

– Pas de paperasses entre nous, cher ami, n'est-ce pas ?

Le Commissaire Glandor distilla vers Cambronne Mâcheclair son sourire le plus faussement bienveillant.

– Les témoins ?

Cambronne Mâcheclair s'entre-caressa les mains avec une gêne naissante.

– D'abord, Monsieur le Commissaire, il y a Monique Wellington.

– Qui se trouve où ? dans son phare ?

– Je le pense, Commissaire.

– Je préférerais que vous en fussiez sûr !

De faussement bienveillant, le sourire se fit franchement inquisiteur.

– Et les autres ?

– Les autres quoi, Commissaire ?

– Les autres témoins !

– Il y a la fille Ahoua (Chimène-Surprise, Charlemagne, Saint-Louis), la ménagère des victimes...

– Je ne la vois pas !

– Commissaire...

– L'auriez-vous, elle aussi, assignée à résidence dans le phare ?

De la sueur perla au front de Cambronne Mâcheclair.

– Commissaire, elle a voyagé hier soir pour La Pointe.

Un sourire sardonique.

– Sans votre autorisation, je suppose ?

Cambronne Mâcheclair s'épongea le front.

– C'est-à-dire, Commissaire, que je lui avais intimé de revenir ce matin à 8 heures.

Un sourire de pitié, de dédain plutôt.

– Et, comme de bien entendu... ?

– Je l'attends, Commissaire... je l'attends...

Un sourire féroce.

– La veuve Hama a voyagé aussi, sans doute ?

Cambronne Mâcheclair se sentit mieux.

– Ça, non, Commissaire ! Elle n'a pas quitté la commune.

Un sourire badin.

– À titre de témoin n° 1, je pense que vous l'avez mise en sûreté... dans la geôle municipale ?

Cambronne Mâcheclair s'épanouit.

– J'ai eu une meilleure idée, Commissaire. Je l'ai fait coucher dans ma chambre.

Jamais le sphinx de la police insulaire n'avait paru si bénin.

3

La barque de mon père, studieuse,
amenait de grandes figures blanches.
SAINT-JOHN-PERSE.

Onésiphore Blanchedent avait réquisitionné, avec son équipage, la plus grosse barque de la commune. Il y convia M. Boid'ho, M. Aber, le Commissaire Glandor, le Docteur Jovial et deux inspecteurs. Quant à Cambronne Mâcheclair, qui était allé chercher Marie-Socrate chez lui, il lui incombait de transporter le reste de la société dans le canot des Phares-et-Balises. Sa dignité ne lui permettant pas d'effectuer un travail manuel devant les officiels, il s'était assuré le concours rémunéré d'un rameur.

Au plein soleil de la veille avait succédé un ciel uniformément blanc, et la réverbération était aveuglante.

– Aïe, mon Dieu ! l'air est fort ! maugréa Cambronne Mâcheclair.

Il lui fallut mettre ses mains en visière pour pouvoir regarder vers l'Îlet.

– Hein ! hein ?

Un troisième esquif y était déjà à l'échouage.

– Pauvre Monique ! Pourvu qu'il ne se soit pas encore fait goumer !

Sur le rivage, un grand noir, en short et chapeau saintois, vint se camper face à l'escadre judiciaire et se mit à gesticuler.

– Delirium tremens ? dit M. Boid'ho.

– Signes de bienvenue, dit M. le Maire.

– Un électeur qui vous aura reconnu, dit le Commissaire.

– J'ai déjà vu ce moune-là, dit Cambronne Mâcheclair.

– C'est Lavidange, dit son rameur.

– Quel Lavidange ? Purification ?

– Non. Celui qui pêche pour les grandes-bottes... [1]

– Ah oui ! Jasmin.

Sitôt à portée d'oreille, on entendit l'homme brailler :

– Ou pa ka débarqué çà là ! défendu !

M. le Maire eut un soubresaut qui agita dangereusement son embarcation.

– Défendu ! mais par qui ?

– Par gendarmes à ou.

– Gendarmes à mouin ?

– Adjudant Liebedich, Maréchal La Monnoye et... et... bitin !

– Gendarmes à mouin pas ka donné ordres à mouin !

– Tout moune doit obéi' à gardes-caca ! [2]

M. le Maire se dressa, indigné.

1. Gendarmes.
2. Tout le monde doit obéir à la police !

Le Commissaire eut un sourire inquiet.

– Vous allez nous faire verser !

– Pour ce que la vie est intéressante... dit le Docteur.

– Il y a moins d'un mètre de fond ! dit M. Aber, que la pratique intensive de la photographie avait entraîné à apprécier les distances.

– Lavidange, insista M. le Maire, reprends ton bon sens ! Regarde les mounes qui sont avec moi ! Voudrais-tu faire affront à Monsieur le Commissaire, à Monsieur le Procureur de la République, à Monsieur le Juge d'Instruction ?

– J'ai dit : Tout moune doit obéi à gardes-caca ! Assez babillé ! Ou pa emmerdé mouin ! Si ou ka débarqué, mouin ka fend' la gueule à ou ! Fout le camp ! Marche !

De s'entendre crier « Marche ! » – qu'on ne dit qu'aux chiens – pour les chasser – M. le Maire retomba si brutalement assis que sa barque s'enfonça à ras bord et devint le centre d'une petite tempête.

– Et il me revient en mémoire, soupira-t-il, que j'ai fait admettre ce fier-à-bras au bénéfice de l'assistance aux Grands Infirmes !

– L'homme est un loup pour l'homme ! déplora le Docteur.

Le Commissaire souriait avec indifférence.

M. Boid'ho peinait pour ne pas rire ouvertement.

M. Aber luttait contre la même tendance en faisant joujou avec sa cellule photo-électrique.

Les inspecteurs gonflaient les biceps, prêts au débarquement.

– Lavidange Jasmin, lança Cambronne Mâcheclair, si tu continues, je te dresse procès-verbal, 1° pour outrages, 2° pour menaces sous conditions,

3º pour entrave à l'action de la justice, et je te fous à coups de pied dans la geôle !

Le vassal de la Maréchaussée détala.

4

*... ici comme ailleurs, ces gars n'ont
pas le sens des nuances !*

Roger VERCEL.

On le rencontra de nouveau, sortant tout quinaud
du pavillon.

– Tes maîtres t'auraient-ils désavoué ? ironisa
pesamment M. le Maire.

Dans la cuisine, avec Monique Wellington, sié-
geaient trois gendarmes : l'adjudant Liebedich (une
tête de mouton sur un grand corps pansu, un regard
qui cherchait sous les meubles), le maréchal des logis
La Monnoye (petit, l'œil limpide et dur ; les cheveux,
les épaules et le visage au carré), le sans-grade Burburacci (menton bleu et mains poilues). Le premier pré-
sidait, le deuxième dictait, le troisième dactylo-
graphiait. Tous portaient des croix de sparadrap, qui
au front, qui à la joue, qui au menton. Entre leurs
shorts kaki et leurs grosses chaussettes blanches, la
peau se violaçait d'ecchymoses. Leurs képis gardaient

des traces de semelles argileuses et de fruits juteux. Coquille-Rouge...

Après les garde-à-vous et les respects d'usage, Liebedich entama avec embarras :

– D'après ce que j'ai cru comprendre, Lavidange voulait...

– Nous vider ! détacha M. Boid'ho.

– Le moins qu'on en puisse dire, gronda M. le Maire, est qu'il a eu des paroles insupportables !

– Il aura cru bien faire.

– À quel degré de stupidité faut-il être tombé pour estimer qu'on agit bien en disant « Marche ! » à un magistrat municipal, chevalier de la Légion d'honneur et de l'ordre de l'Étoile Noire d'Anjouan !

– Il vous a dit... ?

– Il l'a.

– À propos, intervint suavement le Commissaire, depuis quand la gendarmerie, dont le sens de la discipline est bien connu, se lance-t-elle dans une enquête criminelle sans en référer tout au moins à la police ?

– ...

– Nous verrons comment Monsieur le Préfet...

M. Aber s'impatienta.

– Mon cher Commissaire, s'il vous plaît, ne mélangeons pas les pouvoirs. Les seuls qui aient ici leur mot à dire sont Monsieur le Procureur et moi-même.

Le sourire du Commissaire se nuança de doute.

5

*Mouin ké di ou comment mouin ka
manié guicoq*[1].

BAUDOT.

Tant de mouches s'affairaient autour de Fêt.-Nat.
et de Tartous Hama que, par instants, ils semblaient
frémir.

– On a eu beau les asperger d'eau de javel, dit Liebedich.

– Ce que c'est que de nous ! dit M. le Maire.

– Tout vivant est une pourriture qui s'ignore,
surenchérit le Docteur Jovial.

Le Commissaire souriait avec recueillement.

M. Aber vissait son flash.

M. Boid'ho tendit l'index vers le cercle de galets et
d'œufs cassés, les piles de piécettes, les vestiges de
bougies.

– Sorcellerie ?

1. Sorcellerie, envoûtement.

97

– Ça en a tout l'air ! dit La Monnoye.

Le Commissaire eut un sourire choqué.

– Avec le développement de l'instruction laïque et obligatoire, ces pratiques rétrogrades tombent en désuétude.

– Je n'en jurerais point, dit M. Boid'ho. À une récente audience, notre attention fut éveillée par une odeur insolite. Monsieur le Président donna ordre de fouiller la salle, et l'on nous amena un quidam qui tenait débouché un flacon d'éther. Avec beaucoup de bonne foi, le perturbateur reconnut qu'un charlatan lui avait vendu à prix d'or ce produit pharmaceutique « pour endormir la vigilance du tribunal » !

– Devant la porte de mon cabinet, enchaîna M. Aber, j'ai souvent photographié des cercles magiques, des autels improvisés, des lézards enfermés dans des bouteilles...

– L'autre jour, reprit M. Boid'ho, revenant de me baigner à Cluny, je trouvai un embouteillage invraisemblable au pont de La Boucan, sur la grande rivière à Goyave... La cause de tout cela ? Un balai gisant en travers de la chaussée ! Nul n'osait y toucher, nul n'aurait passé dessus, on attendait que le curé vînt l'exorciser...

– À La Pointe même, dit M. Aber, au croisement des rues Schoelcher et Lamartine, deux bougies allumées à la tombée de la nuit, ont suffi à transformer les deux rues en sens interdits.

– Et le crâne de la place de la Victoire !

– Et le traité de magie qui a disparu des pièces à conviction !

Le Commissaire se décida à jeter du lest :

– Cela arrive quelquefois, bien sûr ! Je connais le cas d'un voleur qui, cité en correctionnelle, a versé la forte somme à un soi-disant quimboiseur « pour délier la langue de son avocat »... Mais jamais, au cours de ma longue carrière, je n'ai pu établir ou même soupçonner qu'un seul homicide ait été inspiré par la superstition. Ce qui frappe en ce moment vos regards – et vos imaginations – ne saurait être qu'une grossière mise en scène. Pour un policier de mon expérience, il y a certainement des indices plus sérieux...

– Des empreintes ? insinua Liebedich.

Le Commissaire eut un sourire peiné.

– Vous savez bien, Adjudant, que l'inspecteur spécialisé dans cette délicate investigation est parti en congé pour France...

– Depuis dix mois et demi !

– Le changement d'air a ébranlé son équilibre hépatique.

Pour la sérénité de l'enquête, M. Aber détourna la conversation :

– Dans son rapport, M. Mâcheclair mentionne des boîtes à œufs...

– Nous les avons découvertes, dit Liebedich.

– Une torche confectionnée avec une proclamation de foi de M. Pie-V Passave...

– Pas vue, Monsieur le Juge.

M. Aber se tourna vers Cambronne Mâcheclair :

– Vous êtes sûr ? Il y avait bien cette torche ?

– Oui, Juge.

– Vous l'aviez bien laissée ici ?

– Oui, Juge.

– Alors, Monsieur Mâcheclair... ?

– Juge, l'anonyme qui est revenu cette nuit sur l'Îlet... qui a assommé Monique... qui a volé une bouteille... ce ne peut être que lui qui a emporté aussi la torche !

– À part des empreintes, que pouvait-il y avoir de compromettant sur ce lambeau de papier ?

– Je me demande, Juge.

– Pas de mentions manuscrites ?

– Non, Juge.

– Peut-être, intervint le Commissaire, le criminel craignait-il que la seule couleur politique du document permît d'orienter les recherches ? Ce Pie-V Passave est un dangereux extrémiste...

– Inversement, dit Liebedich, nous avons trouvé une pièce dont la police municipale ne parle pas dans son rapport.

Il brandit un billet de tombola, commentant :

– Ça peut être très utile : d'ordinaire, on note sur la souche le nom et l'adresse de l'acheteur.

– Ça ne vous servira à rien ! dit Cambronne Mâcheclair tout en tendant la main ; il est à moi, le billet-là !

Liebedich eut un ricanement désagréable.

– Prouvez-le !

– D'abord, Adjudant, c'est un billet émis par le séminaire de Blanchet.

– Exact.

– Le numéro se termine par un treize.

– En effet.

– Je l'ai acheté à La Pointe chez Mme Herminie.

– On vérifiera.

– Mais, Adjudant, c'est que le tirage a lieu dimanche prochain !

– Qu'est-ce que vous voulez que j'y fasse !

M. Aber, sans se départir de son calme, mit les choses au point :

– En effet, la gendarmerie n'y peut rien. Dès vérification, c'est à moi qu'il appartiendra de prendre une ordonnance de restitution.

– Messieurs, dit M. Boid'ho, à part certaines dis-
cordances, avez-vous autre chose à nous exposer ?

– Je ne pense pas, Monsieur le Procureur, dit Liebedich.

Quant au Commissaire, il se borna à sourire négativement.

– Puisqu'il en est ainsi, dit M. Boid'ho, je sors respirer l'alizé.

– Je vous suis, dit M. le Maire.

– Je vous imiterai volontiers, dit le Docteur.

– Les autopsies ? dit M. Aber.

Le Docteur bredouilla :

– Ici, nous ne sommes pas outillés ; nous serons
bien mieux à La Pointe...

M. Aber s'approcha de Monique Wellington.

– Avez-vous un placard ?

Le gardien de phare ouvrit de grands yeux.

– Un quoi, Monsieur le Juge ?

Patiemment, M. Aber précisa :

– Un placard bien hermétique...

– ...

– Dans lequel un homme puisse tenir...

– Mais pour quoi faire, Monsieur le Juge ?

– Pour charger ma cuve de développement, tiens !

6

Ils souffrent avec patience les châti-
ments quand ils les ont mérités, mais ils
se laissent aller à de grandes extrémités
lorsqu'on les fait maltraiter sans raison,
par passion ou emportement et sans les
vouloir entendre.

Le Père LABAT.

– Cambronne !
(Un barrissement encoléré.)
– Onésiphore ?
(La désinvolture des consciences tranquilles.)
– Venez immédiatement !
(Une fureur sûre d'elle.)
– Que je vienne ?
(Des atermoiements, déjà, d'enfant qui sait qu'on le déclarera fautif.)
– Ici, tout de suite, dans la cuisine !
Au-dessus de l'évier, M. Aber maintenait déroulé un négatif à peine rincé. Près de lui, M. Boid'ho se

penchait avec intérêt vers une certaine partie de la pellicule. Quant à M. le Maire, adossé à la gazinière, il paraissait lutter contre l'apoplexie.

– Cambronne, ces photographies que vous m'avez fait transmettre à Monsieur le Juge sous le couvert de Monsieur le Procureur de la République, persistez-vous à soutenir qu'elles sont votre œuvre ?

– Naturellement, Monsieur le Maire.

– Et vous pouvez le dire sans blanchir !

– Tout ce que je fais, Monsieur le Maire, je l'accomplis avec zèle et probité. Je...

– Vous, quoi ?

– Je considère...

– Considérez-vous, à compter de cette minute, comme blâmé avec inscription au dossier !

– Mais...

– Blâmé, j'ai dit !

– Mais... mais...

– Cessez de faire le cabouit ![1]

– Mais, Onésiphore...

– Je ne te... que dis-je ! je ne vous...

– Mouin pa comprend' pou'quoi ou fé mouin vié tour de cochon comme ça-là-même !

– Si vous voulez vous rafraîchir la mémoire... quitte à vous échauffer la vue ! dit M. Boid'ho, tandis que M. Aber déployait la pellicule devant les yeux de Cambronne Mâcheclair.

Celui-ci réalisa avec horreur que les huit dernières vues n'étaient pas impressionnées et que les quatre premières détaillaient, non les lieux et victimes du crime, mais, en des postures hautement inconvenantes, le déshabillage, par un homme vu de dos, d'une charmante mulâtresse au visage étroit et sensuel, au corps élancé comme une liane – mais une convolvulacée agrémentée de jolis fruits bien ronds.

1. Chevreau.

Cambronne Mâcheclair avait beau ne pas s'affoler facilement, il lui sembla que tout se mettait à tourner autour de lui : les longues cuisses moulées dans du nylon ou peut-être de la soie, l'Îlet avec ses amandiers et ses flamboyants, un petit mètre de celluloïd noir et blanc entre des mains velues de magistrat instructeur, la minuscule culotte à nœuds-nœuds et volants érotiquement contrastés (article de Montmartre made in Porto-Rico), le masque badinguesque du substitut, les lombes luisantes cambrées jusqu'à la contorsion, le sourire tortionnaire du Commissaire, des vallonnements de la Carte du Tendre qu'en 195... les hommes de goût aimaient mieux imaginer sous leur brume de lingerie qu'à la clarté chirurgicale des sunlights, la grosse tête furibonde de M. le Maire...

Enfin, il put balbutier :

— Les photos que j'ai prises... pas ces quatre-ci... celles qui n'ont rien donné... c'était avec le Rolleiflex du Syrien... Même que le rouleau en était au numéro 5 ! Vous pouvez demander à Monique !

— Encore une pin-up-girl ? dit M. le Commissaire.

— Non, bougonna M. le Maire, c'est le gardien du phare.

— Admettons, dit M. Aber, que les quatre premières vues soient l'œuvre de la victime... Mais comment se fait-il que les huit autres soient ratées ?

Cambronne Mâcheclair s'épongea le front.

— Juge, je ne comprends pas... Je sais me servir d'un appareil : Monsieur le Gouverneur Sorin a même failli m'envoyer au fort pour présomption d'espionnage... J'ai mis au point, j'ai calculé l'ouverture, j'ai armé...

— Montrez-moi l'appareil !

— Inutile de chercher plus loin, dit M. Aber, vous n'aviez pas retiré le protège-objectif !

– Cambronne, explosa M. le Maire, j'aurais pu à la longue m'accoutumer à l'idée d'avoir un satyre dans mes services, mais jamais je n'admettrai de commander à un incompétent. Vous serez déféré au Conseil de discipline des agents communaux, en vue de révocation. Votre arrêté de suspension vous sera notifié ce soir même.

Le photographe malheureux dévisagea M. le Maire avec la hardiesse d'un esclave libéré.

– Si je te comprends bien, Onésiphore, tu n'as plus besoin de moi ?

– Non, Cambronne !

– Eh bien, Onésiphore, tu sais ce que Cambronne te dit ?

– Je ne tiens pas à le savoir !

– Je te le dis quand même !

M. le Maire prit à témoins les membres du transport de justice.

– Écoutez bien, Messieurs.

Cambronne Mâcheclair bâilla avec ostentation.

– Je te dis que j'ai un très gros retard de sommeil et que je suis tellement heureux de pouvoir enfin dormir à ma guise !

Le dos tourné à M. le Maire, un salut militaire à la cantonade, et, regrettant d'abandonner Marie-Socrate en une compagnie si mélangée, Cambronne Mâcheclair s'en fut vers son rameur.

7

Il entra dans une sainte colère et
commença d'invectiver de manière très
vive contre le peu de respect qu'ils
avaient pour la parole de Dieu.

Le Père LABAT.

— Dis donc, Tim-Tim-Bois-Sec, c'est maintenant
que tu viens ! Tu t'es tellement punché à la veillée du
pauvre Fêt-Nat. que tu prends le lundi pour le
dimanche ? Ah ! il est joli, le chrétien ! Celui qui t'a
consacré à la Sainte-Vierge, il aurait mieux fait de se
casser un abattis ! La bannière de la Confrérie, tu
pourras toujours courir pour la porter !

Tout était bien tel que Cambronne Mâcheclair se
l'était préfiguré. Au balcon du presbytère, le Christ en
pied, grandeur nature et polychrome, bénissait le jar-
din enclos de « six mois » et d'hibiscus. Sur les
pelouses bordées de coquilles de lambis, des rosiers
nains achevaient de se déshydrater. Sous le flamboyant, immense parasol vermillon piqueté de vert

tendre, les pétales tombés formaient une ombre grenat. Devant son box de tôle ondulée, un cric sous l'arrière gauche, la 2-CV du Père, une des premières importées en Guadeloupe, évoquait un sloughi levant la patte. Et le Père, les mains gluantes de cambouis, la soutane collée de sueur, la face congestionnée, la barbe agressive, l'accent plus alsacien que nature, assénait à l'enfant prodigue un sermon que ponctuaient les abois de trois vilains chiens jaunes.

Soudain, sans transition :

– Assez pour aujourd'hui, dit le Père. Viens prendre un punch ! On causera...

Qu'il faisait bon dans la salle de séjour du Père ! Une pénombre sans opacité. Une brise qui n'était pas courant d'air. Quelques gravures discrètement pieuses. Quatre fauteuils en poirier massif, adoucis de coussins. *La Croix* et *Le Figaro* sur un guéridon. Un réfrigérateur qui ronronnait dans un coin, lesté de charcuterie de Colmar, de carafes d'eau fraîche et de bouteilles de bière de Schiltigheim.

De raconter ses mésaventures, Cambronne Mâcheclair éprouvait l'apaisement d'une confession garantie sans pénitence.

Quand il eut terminé, le Père jeta le mégot de sa Bastos dans le cendrier offert par les cigarettes Job.

– C'est dangereux de faire du zèle dans ta profession !

– Quand je pense, Père, qu'Onésiphore va me faire passer en conseil de discipline !

– Oh ! le conseil... Il n'a jamais révoqué personne. Au maximum, il se prononce pour un déplacement d'office.

– Mais, Père, vous ne vous rendez pas compte ! Être déplacé à mon âge ! Ici, je suis propriétaire. Ailleurs, comment payer des loyers à trente mille francs par mois ?

Le Père resservit le punch.

– J'irai trouver Onésiphore. Quand il sera calmé. Demain matin, probablement. Rien de tel que ces vieux francs-maçons pour filer doux devant leur curé !

– Père, vous croyez qu'il...

– Comme si tu ne l'avais pas rencontré à la Loge des Noirs !

– Père...

– Pas d'histoires ! Ici, c'est comme d'être moscoutaire : ça n'empêche pas la piété. Donc, pour permettre à Onésiphore de sauver la face, à lui comme à toi, je vais lui suggérer de te mettre en congé.

– Cela m'arrangerait bien, Père.

– Pour traînasser sous la galerie de ta case...

– Comme un gros congolio ? Non, Père, il s'agit d'un autre bitin. Nous autres, Créoles, nous avons nos défauts, comme tout le monde : nous aimons trop le pit [1] à coqs, nous aimons encore plus les dames, mais nous avons de l'honneur !

– Autrement dit ?

– Onésiphore m'a fait affront devant ces Messieurs du Tribunal ; je veux le couillonner devant toute la Guadeloupe !

– En quoi faisant ?

– En dénichant l'assassin le premier.

– Que ça !

Cambronne Mâcheclair se mit à rouler des yeux implorants.

– Père, si vous vouliez m'aider un peu, je suis sûr que j'y parviendrais. Je suis né ici, je connais tout le monde... Sauf votre respect, Père, un garde champêtre noir, cela confesse mieux les gens d'ici qu'un curé blanc... Vous, par contre, Père, vous avez fait

1. Les arènes.

des études, vous connaissez l'âme humaine, vous savez pourquoi on désobéit aux commandements. À votre avis, le Syrien, pour quelles raisons a-t-il pu être tué ?

Le Père contempla un moment la fumée de sa cigarette. Puis :

– Généralement, un meurtrier agit par intérêt, par jalousie ou par vengeance.

Cambronne Mâcheclair ouvrit son vieux carnet de moleskine.

– L'intérêt, Père, cela impliquerait la famille du Syrien ?

– La famille, oui, mais aussi les associés, les débiteurs, les concurrents et, j'allais l'oublier, l'épouse ! S'il lui a fait une donation...

– Père, je suis sûr de son innocence.

– Toujours aussi galant, à ce que je vois !

Cambronne Mâcheclair ne renvoya pas la balle – il l'avait reçue en plein nez ! – et il poursuivit, volubile :

– Pour ce qui est de la jalousie, Père, je soupçonnerais volontiers la jeune personne que M. Hama avait prise en photo peu avant de se marier. Et elle n'était peut-être pas la seule !

– C'est une possibilité, Tim-Tim-Bois-Sec. Par ailleurs, la charmante Marie-Socrate n'est pas sans avoir connu d'autres hommes que M. Hama et rien ne dit qu'un des prédécesseurs de celui-ci n'a pas cédé à une passion homicide !

– Quant à la vengeance, Père ?

– Le pauvre M. Hama ne passait pas pour très correct en affaires. Il devait bien jouer au poker, comme les autres. Il y a aussi la politique... Pour les Antillais, c'est un sport ; au Moyen-Orient, c'est facilement mortel !

Cambronne Mâcheclair referma son carnet.

– Père, laissez-moi vous dire... Il y a encore une sorte de motifs !

Sa voix se fait chuchotante :

– Si c'était du quimbois[1] ?

Le Père se rembrunit.

– J'y ai pensé, Tim-Tim-Bois-Sec, et non sans déplaisir... Il y a des pseudo-sorciers qui te vendent des plumes de taureau ou de la poudre de volcan, mais, en plus du canular et du folklore, il y a des bitins que je n'aime pas ne pas comprendre !

Il empoigna la bouteille de Tabanon[2].

– Bois un petit dernier, chenapan, et prie le Bon Dieu de ne jamais poser le pied dans un pareil nid à mille-pattes[3] !

1. Sorcellerie.
2. Marque de rhum agricole.
3. Les mille-pattes des Antilles sont énormes et leur morsure donne une forte fièvre.

8

Pour moi, j'ai retiré mes pieds.
SAINT-JOHN PERSE.

Nous lui avons fait sommation de quitter immé-diatement ce lieu interdit au public et fait entendre qu'en y venant déposer des excréments fécals il s'exposait doublement aux poursuites...

De nouveau pieds nus – et débraillé – et affalé sur la petite table sous la galerie de sa case, Cambronne Mâcheclair avait remis en chantier son procès-verbal de la Ravine-à-Crabes : suspendu ou en congé, il mettait son point d'honneur à ne point laisser de paperasse en retard.

Invité à nous décliner son identité, il nous a déclaré qu'il se nomme seulement Brennus ; qu'il est étranger à la Municipalité ; que ce n'est pas lui le premier qui viole ce lieu ; qu'il a la va-vite... enfin, la série d'expressions banales qui démontrent qu'il est du nombre des indisciplinés...

À la grisaille éblouissante du début de matinée

avait succédé un ciel gris et plombé. L'alizé ne taqui-
nait plus les cocotiers. Pas un pélican ne planait. La
mer apparaissait sinistrement immobile, opaque.
Cambronne Mâcheclair ferma son col. La températu-
ture fraîchissait.

Il s'est rhabillé et suivait le chemin inverse avant
même que nous le lui ayons permis. Nous avons
déclaré à ce Monsieur Brennus, qui persistait à ne se
faire connaître, que nous lui dressions...

Sur l'Îlet, trois békés neufs[1], en short kaki et
grosses chaussettes, s'affairaient à embarquer. Cambronne Mâcheclair braqua sa longue-vue. C'étaient
bien les gendarmes – et la mine déconfite.

– S'en vont, ces cornichons-là ! nasilla une voix
derrière. Sûr que c'est ce caïman de Glandor qui s'est
fait adjuger la commission rogatoire ! Ça nous pro-
met du beau travail...

Spongieux, blanc-rose, la prunelle dépolie, la sclé-
rotique injectée, le coin de la lèvre plus pendant
qu'un mégot mouillé, Sosthène Chicote s'adossait
titubant au portique de bougainvillées.

– Alors, la Loi, déjà finie, ton enquête ?

– Comment, Monsieur Chicotte, vous savez déjà...

– Ce que je sais, c'est que tu n'as pas encore
démasqué le caïman qui m'a esquinté mon canot !

Cambronne Mâcheclair se força à paraître désin-
volte.

– Ce n'est plus mon affaire, Monsieur Chicotte.

– De qui, alors ?

– Du Commissaire, sans doute.

Chicotte eut une sorte de hoquet.

– Ce caïman penserait-il que le voleur de mon
canot a trempé dans l'affaire de l'Îlet ?

À regret, Cambronne Mâcheclair passa sous silence

1. Blancs de la Métropole.

le rôle primordial qu'il avait joué dans la découverte d'une certaine trace de peinture. Il bredouilla :

– Vous connaissez le Commissaire, Monsieur Chicotte ; il ne livre pas facilement le fond de sa pensée...

Chicotte se tirailla mélancoliquement un poil du nez.

– J'ai comme une vague impression qu'il me bat froid depuis mon choc de la Saint-Sylvestre...

Béat :

– Ce n'est quand même pas pour le taquiner que je me suis retrouvé, avec ma Chrysler, en plein milieu de son commissariat ! Si les poux de bois n'avaient pas préparé le travail...

Après avoir longtemps fouillé dans ses poches, il brandit d'une main oscillante, un billet de 1 000 francs.

– D'accord ! Officiellement, tu ne t'occupes plus de rien... Mais, si, par hasard, à titre privé, tu entends parler de quelque chose, rapport à ce pirate qui ne respecte même pas les peintures neuves, il y aura pour toi des petits frères de ce billet-là !

Après un court débat de conscience, Cambronne Mâcheclair estima que sa vocation à la révocation lui permettait d'accepter.

– Comptez sur moi, Monsieur Chicotte. Puis-je vous offrir un petit rhum ?

– Un sec, pour sceller notre accord.

Cambronne Mâcheclair en était encore à touiller son punch, que Chicotte avait déjà vidé trois fois son verre et que, plissant ses paupières sanguinolentes vers l'Îlet, il articulait :

– On se remue là-bas !

M. le Maire, ces Messieurs du Tribunal et un inspecteur reprenaient la mer. Ni le Commissaire, ni ses trois autres assistants, ni Marie-Socrate n'étaient du

113

voyage. D'imaginer la petite fille abricot restée à la merci d'un vieux macaque aux sourires interchangeables, Cambronne Mâcheclair se sentit la gorge serrée.

Chicotte se leva, en craquant des articulations.

– Voilà. Si tu as des nouvelles de mon caïman de flibustier, avertis-moi une bonne fois !

9

Ces grains, en apparence si terribles,
se dissiperont avec la brise innocente
qui les pousse au-dessus de vos têtes.
                              Édouard CORBIÈRES.

Pour garder un œil sur l'Îlet, Cambronne Mâche-clair décida de déjeûner sous sa galerie. Bien qu'elle raffolât des queues de cochons aux haricots rouges, Cerisette, matée pour un temps, le servit en premier.

La nef municipale avait achevé sa traversée et les cocotiers du front de mer n'avaient pas permis à Cambronne Mâcheclair de vérifier si son ami Onési-phore avait débarqué sans se mouiller les pieds ou, la chance aidant, le bonda[1].

Cambronne Mâcheclair venait de siroter son café, quand un crépitement naquit au loin, s'approcha, s'amplifia – *Half a league ! half a league, onward !* –

_____
1. Le derrière.

une charge de cavalerie – la pluie battant les toits de tôle.

Il n'eut que le temps d'empoigner sa longue-vue et de fuir dans la salle à manger. Déjà, la galerie était devenue établissement de douches et, tout le long de la rue Hégésippe-Legitimus, une cataracte rouge de latérite délayée dévalait à la mer.

Il eut un regard de désapprobation vers le ciel.

– Seigneur, si vous vouliez doucher Onésiphore, vous avez dix minutes de retard !

Plus que le sphérique magistrat municipal, la colère d'En Haut devait viser la police, car, bientôt, Cambronne Mâcheclair voyait se ruer vers le « port » l'inspecteur qui était revenu de l'Îlet avec M. le Maire – les cheveux et les vêtements détrempés par l'averse, les mains contenant comme elles pouvaient une bouillie de baguettes de pain et de paquets de charcuterie.

Vers 3 heures, voguèrent vers l'Îlet un menuisier et deux cercueils en bois du nord.

Cambronne Mâcheclair se signa.

Il se signa derechef quand les deux lugubres boîtes, manifestement plus lourdes qu'à l'aller, effectuèrent le trajet inverse.

Il estima correct d'aller les saluer à leur arrivée.

Mais en civil.

Sans képi ni plaque « la Loi ».

10

Lequel de vous, mes braves, veut se charger de passer le mort ou la lune sur l'autre bord de la rivière ?

Blaise CENDRARS.

Les deux bières gisaient sur le perron de la mairie, dont Thucydide, expert ès-convenances, avait mis le drapeau en berne. Pour contenir les badauds, M. le Maire, écharpe au vent, faisait barrage avec son secrétaire-général, son ingénieur-architecte (l'agent voyer), ses commis, ses dactylos, ses cantonniers et le concierge susnommé.

La foule s'ouvrit respectueusement pour permettre à Cambronne Mâcheclair de se recueillir devant les défunts.

M. le Maire lui jeta un regard courroucé.

– Ton arrêté est signé.

– Donne-le ! Je manque tellement de lecture...

– Il est à l'expédition.

Cambronne Mâcheclair allait prononcer des

paroles irrémissibles, quand Mme Thucydide, affolée, sortit de la mairie :

– Monsieur Onésiphore...

– Quoi, ma chè ?

– Je viens d'avoir Théobald au téléphone...

– Tu lui as bien dit que je m'étonnais que son corbillard ne soit pas encore arrivé ?

– C'est que...

– Que quoi ?

– Que Théobald...

– Quoi, Théobald ?

– Il a dit...

– Qu'est-ce qu'il a dit ?

– Qu'il ne voulait plus faire crédit, ni aux familles, ni aux administrations.

– En conséquence ?

– Il ne vient pas !

D'un geste majestueux, M. le Maire balaya Théobald et son carrosse.

– À sa guise ! Madame Thucydide, criez-moi les gendarmes ! Leur jeep fera l'affaire...

La foule devenant pressante, M. le Maire fit les gros yeux.

– Circulez ! circulez ! ou gare aux procès-verbaux !

Cambronne Mâcheclair baissa ironiquement son regard vers l'emplacement, maintenant vide, de sa plaque.

– Je puis verbaliser moi-même, riposta M. le Maire, tu oublies que je suis Officier de Police Judiciaire !

Mme Thucydide reparut, de plus en plus affolée :

– Monsieur Onésiphore, les gendarmes ont dit non ; parce que, s'il y avait un accident, c'est eux qui seraient responsables ; pas la République.

– Soit ! Dites-leur qu'en vertu des pouvoirs qui me

sont conférés par la Constitution, je les requiers d'escorter les cercueils lorsque j'aurai trouvé un transporteur ! Criez-moi Erostrate !

– S'il n'est pas encore en train d'attendre le client sur les quais de La Pointe, Monsieur Onésiphore.

M. le Maire prit son air omniscient :

– Je viens de le voir revenir.

Peu après, une fourgonnette délabrée arrivait, dont l'auvent proclamait en lettres inégales : *LA VIE EST DURE.*

M. le Maire serra tendrement les mains du conducteur.

– Erostrate, mon ché, laisse-moi te dire... Tu vas rendre un grand service à la République. Évidemment, elle ne paye que sur mémoire...

– Peu importe. De quoi s'agit-il ?

– De transporter à l'hôpital Général...

– J'y suis dans le quart d'heure.

– Deux cadavres....

– Ça, mon ché !

– Soigneusement conditionnés...

– Montre-les toujours !

Ils s'approchèrent des cercueils.

Celui de Tartous Hama n'appela aucune critique d'Erostrate.

Mais celui de Fêt.-Nat...

– Laisse-moi te dire ! Il pue vraiment trop !

M. le Maire eut l'air si malheureux – un gros bébé sur le pot un jour où l'inspiration ne vient pas – que son secrétaire général crut bon de lui proposer à l'oreille une solution peu orthodoxe.

– Le tombereau des éboueurs ! répéta M. le Maire mezzo voce, c'est-à-dire assez haut pour être entendu de tous ; c'est bien peu se respecter soi-même que de respecter si peu les morts !

– La voiture des pompiers, alors ? proposa d'un ton pointu la dactylo favorite du secrétaire général.

– Avez-vous déjà vu, Mademoiselle Lucrèce, des défunts monter à la grande échelle ?

– Téléphonons à Monsieur le Procureur ! dit un gendarme.

– Pour qu'il se moque de nous !

– Réquisitionnons un cabrouet ! dit l'agent voyer.

M. le Maire posa sur Cambronne Mâcheclair un regard soudain bienveillant.

– Tim-Tim-Bois-Sec, mon ami, oublions un instant mes justes griefs ! Ce n'est plus au garde champêtre que je m'adresse, mais au citoyen... Trouve-nous quelqu'un pour emmener ces deux pauvres morts-là se faire autopsier tranquillement !

Cambronne Mâcheclair bomba le menton.

– Onésiphore, ce que je vais faire, ce n'est pas pour toi. C'est uniquement pour que les békés du Tribunal ne soient pas tentés de penser que notre commune est aux mains d'incapables !

Il s'alla poster sur la Route Coloniale, le sifflet en bouche.

– Rien ne garantit, se marmonnait-il, qu'Onési-phore, lorsqu'il n'aura plus besoin de moi, ne qualifiera pas mon intervention d'usurpation de pouvoir !

Un char qui roulait à vide le tenta ; il le siffla.

– Bucolique !

L'interpellé réagit sans aménité :

– Ka ou ka vini encore emmerdé mouin ![1]

– Ti bitin à transporter...

– Horaire à mouin ka terminé !

– Bien sûr, Bucolique ; mais laisse-moi te dire ! D'abord, Monsieur le Maire ici-présent, Officier de Police Judiciaire, va te donner un ordre de mission

1. Qu'est-ce que tu as à venir encore m'ennuyer !

pour le cas où les C.R.S. s'aviseraient d'éplucher ton cahier des charges. Et puis...

Le reste s'énonça de bouche à oreille.

– D'accord comme cela, dit Bucolique.

Puis :

– Je t'offre un petit blanc, d'abord ?

– D'accord pour un punch, dit Cambronne Mâcheclair pour se venger de n'être qu'officieusement en service ; mais, à cette heure-ci, je prendrai plutôt un vieux-pruneau.

Dix minutes plus tard, ils étaient de retour à la mairie, Bucolique soulevait son panama devant les cercueils et se mettait à déchiffrer, sur le premier, l'étiquette tenant lieu provisoirement de plaque.

– Hein ! hein ! c'est le Syrien...

– Monsieur Hama, oui.

– Je lui avais acheté un pyjama en soie de Hong-Kong : au premier lavage, toutes les coutures ont craqué !

Bucolique s'orienta vers son second passager :
« Et celui-là ? »

La voix de Cambronne Mâcheclair se fit inexpressive :

– C'est Fêt.-Nat.

– Fêt.-Nat. Cocoville ?

– Pourquoi pas !

– Mais... on l'avait enterré samedi !

– Le revoici pourtant.

Bucolique se signa.

– Tu es sûr qu'il ne sera pas contrarié si je l'emmène à La Pointe !

– Tu ne seras qu'un instrument ; le maître de l'ouvrage, c'est Monsieur le Maire. Et puis, laisse-moi te dire, on n'a rien sans rien...

– À nous allé ![1]

1. Allons-y !

On chargea les cercueils sur l'abattant arrière du char, qui, précédé de la gendarmerie, démarra en silence et dans le recueillement général.

M. le Maire gratifia Cambronne Mâcheclair d'un sourire de campagne électorale.

– Je rends hommage à ta diplomatie.

Puis, avec une aigeur retrouvée :

– Au fait, qu'as-tu dit à Bucolique pour le décider ?

Cambronne Mâcheclair repoussa une crainte qui n'avait plus sa raison d'être, réprima un rire, et, les yeux dans les yeux :

– Mon ché, tiens-toi bien ! Je lui ai promis de ne pas te transmettre le procès-verbal que je lui ai dressé il y a deux jours, en revenant des funérailles de Fêt.-Nat. Il avait vingt-trois mounes en surcharge...

M. le Maire partit d'un grand rire.

– Tu pouvais le faire : tu étais suspendu !

Cependant, vers la sortie du bourg, Bucolique profitait de son ordre de mission pour charger une camionnée de vivants.

11

*Douce la femme au flair de l'homme,
et douce aux serres de l'esprit...*
                    SAINT-JOHN PERSE.

Le soleil déclinait et les lancinants symphonistes du soir accordaient flûtes et chachas, lorsque les policiers se rembarquèrent avec Marie-Socrate. Cambronne Mâcheclair poussa un soupir d'aise : la petite fille abricot avait les poignets libres.

Un quart d'heure plus tard, la nuit tombée et tous les volets calfeutrés par précaution contre le serein, elle entrait dans la salle aux dix-huit chaises et se laissait tomber sur une de celles-ci.

– Papa Tim-Tim, murmura-t-elle, je boirais bien quelque chose de fort...

Il courut ouvrir la porte de la cuisine. Cerisette était derrière, la tête penchée vers la serrure. Trop habitué à sa curiosité pour la fâcher, il usa de diplomatie pour protéger son tête-à-tête avec Marie-Socrate.

– Cerisette, ma chè, tu vas aller tout de suite chez M. Chicotte. Tu lui diras d'abord que je pense toujours à ce qu'il m'a demandé... et puis... tu le prieras de te remettre pour moi un échantillon de la peinture de son canot.

Elle marmonna une protestation, qu'il réfuta gravement :

– Ne me dis pas, ma fille, que tu as peur des zombies ! Tu sais bien que personne n'en a jamais rencontré avant la Marseillaise de neuf heures du soir...

Elle fit une moue très négative.

– Prends le char de Sheikbodou, il voyage une bonne fois pour La Pointe, je te l'offre.

La moue persista mais se nuança d'acquiescement.

– Pour ce qui est du retour... Tu sais que je ne suis pas un patron de combat... Tu n'auras qu'à attendre que Sheikbodou s'en revienne de La Pointe, après la première séance du Plazza... Tiens ! voilà soixante francs pour ton aller et retour.

Il la tira amicalement par le bras et – le temps de dire : «Mes amis !» – elle se retrouva à la rue, frustrée dans ses projets indiscrets, enchantée de la balade.

Cambronne Mâcheclair alla chercher le Cristal-de-Roche, deux verres, un tray, et revint s'asseoir près de Marie-Socrate, très près.

– Maintenant, tite fille, bois ton médicament d'une seule gorgée !

Elle obéit, fut prise d'une quinte de toux, et la rougeur du sang transparut sous l'orangé de sa peau.

Quand elle parut rétablie, Cambronne Mâcheclair lui demanda :

– Alors, tite fille, Commissaire-là... ?

Elle frissonna.

– Il ne s'est pas encore décidé à m'arrêter, mais il me croit coupable.

– Il est fou ! Ce qui s'est passé sur l'Îlet, ce n'est pas un travail de dames ! Et, même, il fallait plusieurs hommes ! Et puis, d'abord, tite fille, comment te serais-tu ligotée toi-même ?

– Il croit sûrement que j'ai des complices...

– Il pense à qui ?

– Il m'a beaucoup interrogée au sujet de Tibor Ramshaye.

– Le grand coolie de Port-Louis ?

Elle releva le menton.

– Oui, il est Indien ! Mon père l'était ! Cela vous gêne ?

Il lui tapota le genou.

– Moi, tite fille, j'ai les idées larges. Mais j'ai l'impression que notre cher Commissaire, si déférent vis-à-vis de la Préfecture et du Sénat, il serait très enclin à faire marcher les Indiens sur leur bonda ! Tu le connais bien, ce Ramshaye ?

Elle évita son regard.

– Nous avons été presque fiancés... l'année dernière... quand Tibor est revenu de Bordeaux avec son diplôme de pharmacien...

– Qu'est-ce qui vous a empêchés de vous marier ?

– Le recensement.

– On l'a porté décédé par erreur ?

– Il n'y a pas de quoi rire ! Si les gendarmes avaient daigné aller dans toutes les arrière-cours pour compter leurs habitants, la population de La Pointe, celle de Basse-Terre, celle de Coquille-Rouge, celle de Capesterre et que sais-je... auraient augmenté chacune d'au moins deux mille unités et Tibor n'aurait eu que l'embarras du choix pour créer sa pharmacie.

– Il lui restait loisible d'en acheter une.

– C'était trop cher. Ses parents sont de simples colons. Il a fait ses études avec des bourses.

– Ton oncle est négociant...

– Il aurait pu aider Tibor, mais ils ne sont pas du même avis en politique. Mon oncle est de droite : Tibor est anarchiste, structuraliste.

– C'est tonton ou[1] qui t'a poussée à épouser le Syrien ?

– Pas exactement.

– Tu ne vas pas me dire que c'est Ramshaye ?

– ...

– Si ?

– Un peu.

Elle se hâta d'expliquer :

– Il m'a dit qu'il m'aimait trop pour me laisser rater une telle chance. Quand il aurait sa pharmacie...

– Après le prochain recensement !

– Si je voulais toujours qu'on se marie...

– En attendant, vous vous seriez discrètement arrangés pour que M. Hama gagne beaucoup au poker ! Je suis rarement du même avis que M. le Commissaire, mais je commence à comprendre pourquoi il vous soupçonne, toi et ton maco[2]...

Sans en avoir conscience, il s'était écarté d'elle.

– Papa Tim-Tim, gémit-elle, je vous jure que je ne suis pour rien dans ce qui s'est passé !

– Ramshaye n'a jamais insinué qu'il pourrait te débarrasser du Syrien ?

– Jamais.

– Idées de meurtre mises à part, il n'a jamais évoqué l'éventualité de ton veuvage ?

– N... non.

Il se fâcha.

– Laisse-moi te dire, tite fille ! À quoi cela te servirait de me cacher quelque chose alors qu'il est sûr et

1. Ton oncle.
2. Maquereau.

certain que ce vieux Compé Lapin[1] de Commissaire Glandor t'a déjà soutiré tout ce qui peut te faire condamner ! Tu te méfies encore plus de moi ?

– Non. Mais...

– Mais quoi, tite fille ?

– Vous allez avoir une mauvaise impression.

– Plus cela va, moins je me fie aux apparences. Alors, qu'est-ce qu'il t'a dit, Ramshaye ?

Elle se tassa sur elle-même, comme dans l'attente de coups.

– Un jour... Mais peut-être, sans parler sérieusement... il m'a dit : « Si ton mari avait la bonne idée de claquer sans trop attendre, tu m'achèterais une officine à La Pointe, et je te la rembourserais en deux ans. »

Il éloigna encore un peu sa chaise.

– À propos, est-ce que M. Hama avait fait un testament en ta faveur ?

– Une donation devant notaire.

Il se passa la main sur le front, la retira trempée.

– Mes amis ! Tu peux prier le Bon Dieu que ton Ramshaye ait un bon alibi ! Tu ne sais pas où il aura passé sa nuit de samedi à dimanche ?

– Il m'avait dit que, le soir de mon mariage, il ne resterait pas célibataire.

– Car il a d'autres bonnes amies ?

– C'est un homme, Papa Tim-Tim !

– Alors, souhaite-lui d'avoir été avec quelqu'un qui puisse confirmer son alibi sous serment... Je veux dire : une dame qui ne soit pas condamnée de droit commun et qui n'ait pas de mari ou de concubin jaloux.

– Et s'il ne peut pas produire de témoins ?

1. Dans les contes créoles : le rusé qui finit toujours par duper Compè Zamba, l'éléphant.

– Vous êtes arrêtés tous les deux.

Elle éclata en sanglots.

– Je ne veux pas aller à la geôle !

Il essaya de plaisanter :

– Il y a des gens très bien qui y sont allés : Toussaint Louverture, Barbès... Et puis, ton mariage avec M. Hama, tu ne crois pas que cela aurait eu des points communs avec un pénitencier ?

Elle redoubla de sanglots.

– J'en mourrai ! Je vous en supplie, faites quelque chose !

Il resta silencieux pendant un long moment, le front raviné de pensées. Puis, avec une gravité dont il n'était pas coutumier :

– Tu me jures que tu n'es pas coupable ? pas même complice ?

– Je vous l'ai déjà dit !

– Tu me le jures sur les Saints Évangiles ?

Elle fit le geste rituel.

Il rapprocha sa chaise.

– Sur Brahma, Vichnou, Çiva ?

– Je le jure.

Il baissa peureusement la voix :

– Sur Erzulie ? sur Azaou ?

– Qui est-ce ?

Il toussota, gêné.

– Des dieux vaudous, paraît-il. Elle, la bonté. Lui, la mort et la destruction. Il y aurait encore ici des gens qui y croient...

– Je veux bien jurer sur eux, puisque je ne mens pas !

Il grommela :

– Suspendu pour suspendu...

Il se leva avec décision.

– Il faut que je sorte, tite fille. Je ne serai pas long. Tu restes ici, tu fermes à clé, tu n'ouvres à personne.

12

Si la chose est faisable, comme elle
l'est ordinairement, il faut la leur accor-
der sur-le-champ et de bonne grâce.

Le Père LABAT.

— Ma parole ! claironna le Père ; tu es un curieux paroissien ! on ne te voit plus qu'à l'heure du punch !

— Le fait est, Père, que, si vous vouliez bien m'en offrir un, cela m'aiderait à vous parler.

— Entre toujours, vaurien !

Et, dès qu'ils furent installés, verre en main, dans les fauteuils de poirier massif, le Père ouvrit le feu :

— Si c'est au sujet d'Onésiphore, je ne l'ai pas encore vu.

— Moi, Père, je l'ai revu, et je crois pouvoir dire que cela va mieux.

— Parce que tu lui as trouvé un croque-mort de remplacement ? Ma police m'en a déjà informé... Alors, qu'est-ce que tu me veux d'autre ?

– Père... balbutia Cambronne Mâcheclair ; je sens que je ne pourrai vous le dire qu'en confession !

– Eh bien, pose ton punch ! mets-toi à genoux ! Je t'écoute.

Cambronne Mâcheclair posa avec précaution ses rotules sur le carrelage.

– Voilà, Père. J'ai eu l'audace... la coupable audace.... de penser que peut-être...

La barbiche du Père s'agita.

– Pas de laïus !

– Que peut-être vous pourriez...

– Pas de laïus, j'ai dit ! Tu as demandé à te confesser ; il me faut une confession générale ; vas-y : je m'accuse...

– Je m'accuse... d'aimer la bonne cuisine, Père...

– Et le vin ?

– Pas vraiment, Père.

– Et le rhum ?

– Par hygiène, Père.

– D'être un peu paresseux ?

– Quand il fait chaud, Père.

– Orgueilleux ?

– Quand mon honneur est en cause, Père.

– Et menteur ?

– Seulement en cas de nécessité, Père.

– Comme de juste, tu t'accuses aussi de trop t'intéresser à ta ménagère ?

– De moins en moins, Père.

– De t'être dit parfois que, si, concurremment à la Sainte-Trinité, les faux dieux de l'Inde ou de l'Afrique existaient mieux vaudrait ne pas se mettre mal avec eux ?

– Très vaguement, Père.

– De craindre les quimboiseurs, soucougnans, volants, engagés et autres malandrins ?

– On vous fait boire si facilement un mauvais thé, Père.

– À part ce que tu viens de reconnaître, pas d'autres péchés ? Tu n'as pas tué ? pas volé ?

– Pas encore, Père.

– Au fait, qu'est-ce que tu voulais me demander ?

– Voilà, Père...

13

*Aujourd'hui, les grosses voitures ont
remplacé les petits ânes d'autrefois...*
                              Thérèse GEORGEL.

Absous, sa pénitence récitée, Cambronne Mâcheclair s'en fut retrouver Marie-Socrate.

– Vite, tite fille ! L'auto est devant la porte. Je vais
m'asseoir au volant. S'il n'y a personne dans la rue, je
donnerai un coup de démarreur ; tu sortiras ; tu mon-
teras à l'arrière et tu te coucheras sur la banquette. Là
où je t'emmène, tu ne risqueras rien.

La manœuvre s'exécuta sans heurt ni témoin. Cambronne Mâcheclair embraya et, faute d'avoir auparavant conduit une 2 CV, fit de son démarrage en côte
un numéro de grenouille savante.

– Vous venez de l'acheter ? demanda Marie-
Socrate avec quelque appréhension.

Il pouffa dans ses grosses lèvres.

– Empruntée ! J'ai des amis qui sont des Pères
pour moi !

14

*Et leur complexion chaude les rend
fort adonnés aux femmes.*

Le Père LABAT.

Le clair de lune était si vif qu'on y pouvait lire le journal – même *Le Reflet de la Guadeloupe* – et Dieu sait si les clous avec lesquels s'imprimait cet intéressant hebdomadaire étaient souvent encrés à l'économie ! Les vallées sans rivières qui alvéolent le calcaire des Grands Fonds prenaient des aspects de cirques sélénites. La route, étroite et non goudronnée, grêlée de nids-de-poule, ne cessait de monter et descendre, tout droit devant elle. Plus de cocotiers ou de filaos, mais, çà et là, un arbre à pain, un manguier, un arbre à puni[1]. Les champs de cannes – la ruineuse richesse des Antilles – avaient cédé la place aux cultures vivrières sur les pentes des mornes et aux bosquets de campêche sur les crêtes. Fait rare, aucune case n'était

1. Arbre au tronc épineux.

en vue. Même en plein jour, on eût pu sans scandale faire pipi sur l'accotement, comme en ce pays sous-peuplé qu'on nomme Mère-Patrie.

Marie-Socrate était maintenant assise à côté de Cambronne Mâcheclair. Le roulis de la 2 CV l'assoupissait. À plusieurs reprises, elle frissonna, et, chaque fois, pour la réconforter, il lui posa une main sur le genou.

En première – et de justesse – ils gravirent une rampe vers le sommet de laquelle le ravinement avait donné à la chaussée un aspect d'escalier.

– Tu es déjà venue par ici, tite fille ?

– Je ne crois pas, Papa Tim-Tim.

Il stoppa, mit pied à terre.

– Mi-là !

C'était peut-être le point culminant de la Grande Terre. Dans le poudroiement bleuté du clair de lune, on la voyait toute : une carte ancienne aux tons passés, aux bords un peu roulés.

Cambronne Mâcheclair tendit le bras vers l'est.

– Par ici, il y a le Baobab. On dit que c'est un esclave qui l'a apporté de Guinée...

Il se retourna.

– Chazeaux, par là. Dans le temps, avant le Cyclone, avant même le Sénateur Béranger, on y venait se battre en duel ; chacun partait d'un morne à la rencontre de l'autre, avec un fusil et douze cartouches...

– Et l'étang là ?

– Cocoyer. Un paradis pour la chasse. Mes amis ! je l'ai vu couvert de poules d'eau...

Ils reprirent la route, maintenant en descente mais toujours aussi chaotique. Non loin de l'étang, Cambronne Mâcheclair bifurqua dans un chemin de cabrouets [1] tellement herbu en son milieu que la 2 CV

1. Charrettes.

semblait s'agacer le ventre sur un tapis-brosse. Puis, il n'y eut plus de chemin, mais une savane spongieuse, sur laquelle les roues, tantôt, zigzaguaient, tantôt, s'emballaient dans un jaillissement de boue.

– C'est là que tu vas rester.

Un boqueteau de manguiers. Une case vétuste. Une enseigne maladroitement tracée : *ALIMANTATION GÉNÉRAL – BOISON À EMPORTÉ.* Entre les volets, passait la lumière jaune d'une lampe à pétrole.

Cambronne Mâcheclair arrêta la 2 CV dans un coin d'ombre, enjoignit à Marie-Socrate de l'y attendre, s'en fut gratter à l'huis.

– Mignonnette ! Mignonnette !

À travers le panneau en bois de caisse – sur lequel restait pyrogravé : *CRAINT LA CHALEUR ET L'HUMIDITÉ* – un glapissement retentit :

– Ka ça y est ?

Cambronne Mâcheclair prit une voix charmeuse :

– C'est mouin, Mignonnette : Tim-Tim à ou ! Ouvre porte-là pour mouin !

Une énorme quadragénaire jaillit de la case, élevant vers le ciel une paire de bras croulants.

– Mes amis ! Je commençais à croire que tu m'avais oubliée !

Il embrassa la dondon à grosses succions.

– Ou badiner, ma chè ! Tu es inoubliable !

Puis, sur un ton plein de devoir :

– Les enfants sont bien ?

Elle se mit à compter sur les aubergines qui lui servaient de doigts :

– Sylvère, il est toujours au Camp-Jacob.

– Je sais. Il m'a envoyé une carte pour le premier mai, avec un brin de muguet imprimé en couleurs.

– C'est un bon ti moune !

135

– S'il se rengage, je le verrais bien finir sa carrière sous l'uniforme d'un adjudant-chef. Et Clélie ?

– Elle est en changement d'air à Coquille-Rouge, chez l'oncle Arsénio. Elle l'aide dans son travail.

– Elle fait aussi du charbon[1], tite fille à mouin ?

– Hein ! hein ! L'oncle Arsénio a été nommé facteur ad-hoc. C'est lui qui devait porter toutes les lettres de la Commission de propagande électorale.

– Mais sa filariose[2] ?

– Justement ! Comme il tire de plus en plus la patte, c'est Clélie qui a porté pour lui.

– Et Odet ?

– Il reste lui aussi à Coquille-Rouge. Je l'ai mis en apprentissage... au Commissariat de Police.

– Mais il sait à peine écrire !

– Il balaie.

– Donc, ici, tu n'as que les deux tout petits ?

Elle se mit à larmoyer.

– Oui, mon Tim-Tim : Murat et Olga, ceux que tu aurais pu reconnaître, puisque tu étais déjà veuf quand tu les as eus.

Il eut un toussotement défensif.

– J'y pense toujours.

Elle prit une voix contrite :

– Mon Tim-Tim, je ne voulais pas te taquiner ! Je sais bien que tu les reconnaîtras un jour ! Ils sont si petits ! Tu as tout ton temps ! Tu... tu repartiras demain matin seulement ?

Il se confectionna un air affairé.

– Tu m'excuseras, ma chè ; j'ai tellement de travail ; Onésiphore est tellement exigeant. Je suis juste venu pour t'apporter...

Fouillant dans ses poches :

1. De bois.
2. Parasitose entraînant l'éléphantiasis.

136

– Ti bâton de rouge... Ti tube de crème... Ti flacon de sent-bon... Du vétiver...

Les yeux de la dame – demoiselle, plus précisément – on peut le rester quel que soit le nombre des enfants – se mirent à ribouler.

– Viens, mon tim-Tim !

Dix minutes plus tard, de nouveau conquise, Mignonnette faisait à Marie-Socrate les honneurs de son logis, et Cambronne Mâcheclair, seul dans la 2-CV du Père, retraversait la savane imbibée d'eau stagnante.

Entre deux embardées, il se plaisanta :

– Amateur de grosse chair !

Puis, sincère dans sa repentance :

– Moi qui venais de me confesser !

15

Place de la Victoi'e, Missié.
                              Roger VERCEL.

Heureux effet d'une journée bien remplie, Cambronne Mâcheclair se sentait maintenant plus faim que sommeil.

Il décida d'aller se restaurer à La Pointe. D'abord, il avait une telle envie de palourdes au court-bouillon qu'un goût de coquillage et de piment lui venait à la bouche. Puis, si M. Glandor, ce Bois-Bois[1], apprenait qu'il avait emprunté la 2 CV du Père au moment même où Marie-Socrate prenait le maquis, une bordée en ville pouvait le justifier.

L'estomac lesté, il s'en fut Place de la Victoire, jusqu'à la terrasse de Mme Herminie.

M. Boid'ho y était attablé, las et tertio-napoléonien, devant un long drink.

Cambronne Mâcheclair le salua avec un respect

1. Pantin.

138

craintif, envisagea d'aller ailleurs, n'osa le faire, choisit le guéridon le plus éloigné des foudres du Parquet.

– Garde Champêtre, dit M. Boid'ho, venez donc boire avec moi !

– Monsieur le Procureur, balbutia Cambronne Mâcheclair, je ne me permettrais pas... C'est trop d'honneur...

– C'est un ordre. Ne jouez pas les vierges pudiques. Ici, comme ailleurs, on manque d'archétypes. Asseyez-vous ! Whisky ?

– Mes préférences vont plutôt vers le punch, Monsieur le Procureur...

M. Boid'ho frappa dans ses mains.

– Petite fille !

Une jeune mulâtresse s'approcha – d'une sveltesse intéressante, en blouse rouge et jupe noire.

Elle se mit à regarder Cambronne Mâcheclair par en dessous mais fixement.

– Vous profitez bien de vos vacances, Papa Tim-Tim ?

Il sursauta.

– Plaît-il ?

Elle insista, avec un sourire méchant :

– Vous réussissez toujours dans la photographie ?

Il se sentit verdir.

– Comment, Renélia, tu... tu sais... ?

Elle eut un rire pincé.

– Hein ! hein ! Monsieur le Commissaire était ici tout à l'heure..

M. Boid'ho intervint, coupant :

– Monsieur le Commissaire Glandor nous avait habitués à plus de discrétion ! Puisque cet auxiliaire de la Justice s'est estimé en droit d'évoquer certains détails de l'enquête devant un auditoire de bistro, j'ose espérer qu'en contrepartie il n'aura rien tu de ce que nous devons à Monsieur Mâchefer... pardon ! Mâcheclair. N'est-ce pas, poulette ?

Elle eut un ricanement offensé.

– Monsieur le Commissaire m'a dit que, grâce aux photos de Papa Tim-Tim, tous ces Messieurs du tribunal avaient bien rigolé !

M. Boid'ho devint désagréablement hautain.

– Il vous a dit... Car c'est à vous qu'il fait ses confidences ! qu'il communique ses notations sur les magistrats dont il est le subordonné ! Fort bien !

– Monsieur le Procureur, glissa benoîtement Cambronne Mâcheclair, ne croyez surtout pas que Monsieur Glandor se confie comme cela à la première venue ! C'est seulement parce que la tite fille...

– Tu mens, vieux cocu jaloux ! glapit-elle.

Négligeant cette scène d'ex-ménage, M. Boid'ho enfonça son clou :

– Monsieur le Commissaire vous a dit... Vous a-t-il dit également que tous les indices dont nous disposons dans cette pénible affaire, c'est cet humble policier municipal, bon à jeter aux chiens selon les incompétents, qui a su les découvrir et nous les conserver in integrum ob etatem ?

Elle baissa la tête, butée.

– Même le billet de tombola ?

– Le billet, dit Cambronne Mâcheclair, je l'avais acheté ici, à ta patronne !

Elle crut pouvoir prendre un air supérieur.

– Monsieur le Commissaire m'a dit qu'il avait vérifié.

M. Boid'ho tapota son guéridon.

– Silence, prévenue en puissance ! Oui ou non, Monsieur le Commissaire, qui sait tant de choses et qui en garde si peu pour le secret de l'instruction, vous a-t-il informée que, la nuit dernière, sans la vigilance et l'initiative du courageux vieillard que voici, l'un de nos plus magnifiques transatlantiques, Le Cristobal, cher à nos cœurs à tous, se fût fracassé sur les récifs du Petit-Cul-de-Sac-Marin ?

Avant que Cambronne Mâcheclair eût pu apprécier si le juste hommage rendu à son action compensait l'allusion faite étourdiment à son âge – ni plus ni moins, sous les Tropiques, que celui de la maturité – M.Boid'ho avait enchaîné :

– Vous a-t-il dit, enfin, votre cher Commissaire, que si les cadavres de Messieurs Cocoville et Hama sont maintenant enfin à la morgue de l'Hôpital Général pour livrer à la science les secrets enfouis dans leur chair torturée – Que M. Boid'ho maniait bien l'éloquence du Second Empire ! – c'est parce que, *en vacances,* mon ami ici présent (oui, je dis : mon ami) a, seul de sa commune été capable de pourvoir à leur transport ?

– Excusez-moi, Monsieur le Procureur ! je ne savais pas ! roucoula Renélia, sensible, en bonne Antillaise, aux phrases harmonieusement construites.

– Je n'aurais pas imaginé, Monsieur le Procureur, dit modestement Cambronne Mâcheclair, que vous soyez au courant de ces petites questions de détail !

– Un bon parquetier doit se tenir informé de tout.

Cambronne Mâcheclair pensa à son équipée dans les Grands Fonds, à l'escamotage du Témoin n° 1, et il sentit les palourdes de Lacfodia devenir très froides dans son estomac.

La voix de Renélia aviva son malaise.

– Papa Tim-Tim ?

– Quoi encore ?

– Je vous sers un vieux-pruneau ?

Le ton de la péronnelle impliquait peut-être une allusion malveillante à la capacité génésique du sexa-

141

génaire. Aussi, Cambronne Mâcheclair se commanda-t-il sèchement :

– Un blanc-citron.

Puis, pour désamorcer la conversation :

– Cela me rappelle, Monsieur le Procureur, ce qui est arrivé un jour à un vieux Juge de Paix d'avant la départementalisation. On le voyait souvent ici. Toujours très digne. Jamais plus de trois punchs avant chaque repas. Il complétait le Tribunal correctionnel dans les affaires d'information. Un jour qu'il faisait très chaud, il s'est endormi pendant les plaidoiries. Monsieur le Président se met à délibérer avec Monsieur l'Assesseur de droite : « Trois mois ferme ? » – « Six mois – sursis ? » Il se tourne à gauche : « Et vous ? » – « Pour moi », dit le Juge de Paix tout en se réveillant, « pour moi, ce sera un petit blanc avec du citron. »

– Charmant ! dit M. Boid'ho. Puis-je prendre note ?

Après qu'il eut gribouillé quelques mots sur son calepin et liquidé son whisky, il se mit à promener à la ronde un regard soupçonneux, puis il murmura :

– Garde Champêtre, que pensez-vous de ce Commissaire Glandor ?

Cambronne Mâcheclair lui répondit encore plus bas :

– Monsieur le Procureur, après tout ce qu'il a fait contre moi, il me serait difficile d'être objectif !

– Et à moi donc ! Vous savez que les magistrats ne doivent en aucun cas être fichés aux Renseignements généraux... Cet impératif n'a pas empêché Monsieur Glandor d'aller glisser dans l'oreille du Préfet que j'œuvrais sournoisement pour l'extrême gauche ! Moi pour qui aucun Napoléon n'est petit, surtout le troisième ! Mais foin des rancœurs ! Croyez-vous que notre aurifère soit de taille à découvrir l'assassin – les assassins plutôt – du Syrien ?

Cambronne Mâcheclair se fit un visage sans malice.

– Monsieur le Commissaire est certainement capable d'arrêter quelqu'un...

– Et point forcément le coupable ! Nous nous comprenons... J'ose donc espérer que, si, par hasard, vous apprenez quelque nouveauté intéressante, vous aurez l'obligeance – comme vous en avez d'ailleurs le devoir – d'en informer par priorité Monsieur le Juge d'instruction ou moi-même.

– Avec joie, Monsieur le Procureur. D'autant plus que j'ai décidé de continuer mon enquête. À titre personnel. Pour montrer à Onési... à Monsieur le Maire de Père-Labat qu'il a eu tort de me faire affront devant tout le monde.

Renélia reparut, portant le tray à punch.

– Ne nous attardons pas, dit M. Boid'ho, nous sommes attendus au tribunal.

*J'ai connu l'époque où la plupart des
bourgs ne s'éclairaient, la nuit tombée,
qu'à la lueur fumeuse des « serbis » ou
de lampes à pétrole.*

Eugène REVERT.

La lune se cacha.

L'éclairage de ville brillait par son absence. Il y
avait bien un peu partout des lampadaires fluores-
cents, mais, pour les mettre en service, la municipalité attendait d'avoir gagné le procès qui, depuis des
années, l'opposait à la compagnie productrice d'électricité.

– Douceur du tempérament antillais ! admira
M. Boid'ho. Pouvoir circuler sans risque dans une
pareille obscurité !

– Il vaudrait pourtant mieux, Monsieur le Procureur, dit Cambronne Mâcheclair, que vous ne res-
tiez pas sur le trottoir. Vous allez vous tordre le pied
dans une rigole...

– Simple problème d'équilibre !

– Ou marcher sur un rat crevé...

– Car, instruits du Code de la Route, ces charmants rongeurs s'abstiennent de stationner morts sur la chaussée ?

La lune reparut, mettant en valeur l'architecture mauresque du Palais de Justice.

Ils entrèrent – non sans que M. Boid'ho ait esquissé le geste de se déchausser.

Dans les galeries du rez-de-chaussée, M. Ville-d'Avray, le plus majestueux des concierges, s'abaissait à balayer, pieds nus, culotté d'un short par-devant lequel son abdomen pendait en forme de tablier. Mécontent d'être surpris en cet appareil et dans l'accomplissement d'une tâche si subalterne, il disparut en grommelant de vagues salutations.

M. Boid'ho frappa à la porte du cabinet d'instruction.

– On peut ?

– Faites comme chez vous ! répondit une voix lointaine ; mais, pour l'amour du ciel, n'éclairez pas !

– Monsieur le Juge a la migraine ? demanda Cambronne Mâcheclair.

– Simplement, des pellicules ! dit M. Boid'ho.

– ...

– Autrement dit : des photos à tirer.

La porte prestement refermée, ils s'aventurèrent dans l'obscurité en quête de chaises, mais, n'ayant réussi qu'à en culbuter, ils s'arrêtèrent net.

– Boid'ho, qui est avec vous ? demanda M. Aber depuis la pièce voisine.

– Notre Garde Champêtre.

– Bien, dit M. Aber.

Puis :

– Ce ne sera plus long : je les fixe...

Puis, ce fut le silence, entamé seulement par quelques heurts de verrerie et quelques clapotis.

145

M. Boid'ho alluma une cigarette en dissimulant la flamme de son briquet sous sa veste.

– Au fait, reprit la voix de M. Aber, le légiste m'a téléphoné ses conclusions...

Le juge photographe s'interrompit pour agiter ses bains, puis :

– Fêt.-Nat. Cocoville est mort de bilharziose. Rien d'anormal, sinon une forte quantité de rhum dans ses voies respiratoires supérieures. Impossible de dire si la boisson lui a été entonnée pendant la veillée traditionnelle ou postérieurement. Les vêtements, y compris la jaquette, 1° ne provenaient pas de sa garde-robe, 2° ne portaient aucune marque permettant d'en rechercher l'origine...

De nouveaux glouglous ponctuèrent le changement de sujet.

– Tartous Hama, lui, a d'abord été assommé. Assommé, si j'ose m'exprimer ainsi, en douceur : sans fracture du crâne, sans hématome sous-dural. Ensuite, il a été étouffé. Détail curieux : ses lèvres et ses gencives sont excoriées comme si on y avait introduit de force un objet contondant...

Le contour d'une porte s'éclaira.

– Messieurs, vous pouvez venir.

L'arrière-cabinet – récupéré de haute lutte sur la famille Ville-d'Avray, qui prétendait y loger une fille, un gendre et les cousins de celui-ci – servait occasionnellement de laboratoire photographique à M. Aber. Du carton ondulé, peint au noir « ferronnerie », occultait la fenêtre à jalousies. Sur une table réformée pour boiterie inopérable, se trouvaient un agrandisseur de fabrication artisanale, les cuvettes de révélateur et d'hyposulfite. Dans le lavabo, où coulait un filet d'eau, des feuilles de papier sensible tournicotaient.

M. Aber en saisit une.

– Les victimes. Regardez si c'est « piqué ». On distingue même une mouche. Là.

– Je la vois, Juge, dit Cambronne Mâcheclair d'une voix éteinte, sans parvenir à quitter des yeux ces mains magistrales, calmes et velues qui, sur l'Îlet, avaient tenu déroulée devant lui la pellicule fatale à sa carrière.

Comme pour ajouter à son trouble, M. Aber fit émerger une autre épreuve.

– Vous la reconnaissez ?

– Juge !

Il eut un geste apaisant.

– Je ne me référais pas au style de la photo mais à l'identité du modèle. Il me semble avoir déjà rencontré cette fille dans Pointe-à-Pitre...

– Il me semble également, dit M. Boid'ho, mais cette impression est sans portée pratique : je les regarde toutes.

Cambronne Mâcheclair s'asséna une claque en plein front.

– Quel couillon je suis !

Précipitamment, il expliqua :

– Pardon, Monsieur le Procureur ! pardon, Juge ! mais il n'y a pas d'autre mot... Je la connais, la jeune personne sur la photo : c'est Gastonia !

– Qui, Gastonia ?

– La vendeuse vedette de M. Hama.

17

*... car les dames de couleur y sont
toutes charmantes...*

Georges PILLEMENT.

À 11 heures tapantes, Cambronne Mâcheclair regagna la terrasse de Mme Herminie.
- Trop tard, trancha Renélia, on ferme.
Il arbora un sourire futé.
- Ma chè, c'est justement dans l'espoir de la fermeture que je suis venu. Une personne intelligente comme toi ne peut mépriser plus longtemps un fonctionnaire d'autorité que Monsieur le Procureur de la République daigne honorer de sa confiance et de son amitié. Il faut nous réconcilier. La nuit est gemmée d'étoiles. Ne voudrais-tu pas voyager avec moi vers les Hauteurs de la Retraite ?
Elle fronça le nez, hésitante.
- Elle est à toi, l'auto là ?
- Dans un mois, j'aurai la mienne.

Elle s'avança d'un pas.

– Je ne dis pas non. Seulement, je veux...

– Les boucles d'oreille dont je t'avais parlé...

– Dont tu m'avais parlé avant de me laisser choir ! Je serais ravie de les voir enfin ! Mais...

– Quoi donc encore, mon pain doux sucré ?

– Tu ne te promèneras plus qu'avec moi ?

Il éclata d'un gros rire câlin.

– Ma chè ! tu es bien une fleur... Comment ne serais-je plus un papillon ?

Avec un soupir d'hypothétique victime et un regard de future tortionnaire, elle prit place dans la 2 CV.

Cambronne Mâcheclair démarra en faisant vrombir son moteur avec ostentation.

Mme Herminie, son autre serveuse, deux clients encore attablés suivirent d'un œil bienveillant cet embarquement pour Cythère.

L'emprunt de la voiture du Père avait enfin son explication.

18

Et l'on boit, l'on mange, l'on chante,
l'on s'amuse ainsi jusqu'à l'aurore, qu'il
faut attendre pour échapper aux forces
mauvaises de la nuit.

Eugène REVERT.

Mais au prix de quelle fatigue !

Sur le chemin du retour, ayant déposé Renélia devant chez elle, au Carénage, et se trouvant à l'abri des banderilles que l'espiègle enfant lui piquait itérativement en plein amour-propre, Cambronne Mâcheclair faillit s'endormir.

– Tu vieillis ! se dit-il ; bientôt, il te faudra prendre de la liane [1] !

Et, pour chasser le sommeil, il se narra tout haut ce qui était arrivé, quelques lustres plus tôt, à un sénateur de la Guadeloupe qui ne saurait être confondu avec son prédécesseur René Béranger (1830-1915),

---

1. Aphrodisiaque localement réputé.

150

célèbre pour son action militante contre la licence des rues :

– Bon, bonne fois, ché ti-mounes... Trois fois bel conte, bonne Da[1]... Chaque fois que Monsieur le Sénateur arrivait de la Métropole, mon cousin de Baie-Mahault lui apportait un joli ti-paquet : pas lourd, mais bien carré, avec un papier blanc tout neuf et une ficelle dorée. Monsieur le Sénateur remerciait beaucoup, serrait le paquet dans sa grande serviette en maroquin, et, avec le contenu du paquet, il en avait pour un an à faire le jeune homme. Or, un jour, laissez-moi vous dire, voilà cousin à mouin ka rivé avec un gros sac de cinquante kilos. « Mon ché, mon ché », Sénateur-là ka di, « ou ka vouloi fé crevé mouin ! ou ban mouin trois cents fois plus que d'habitude ! » Et mon cousin de répondre : « Mon ché, depuis ta dernière venue, je me suis abonné au *Journal officiel ;* d'après ce que j'y ai lu, tu n'es pas le seul, au Palais du Luxembourg, à avoir besoin de bois-bander[2] : tu partageras avec tes petits collègues ! »

Du répertoire guadeloupéen, Cambronne Mâche-clair passa au martiniquais : le viatique du parfait coqueur, le vol des testicules du taureau primé...

Il se fit si bien passer le temps qu'il fut tout surpris de se trouver déjà à Père-Labat.

Malgré l'heure, une case était illuminée, portes ouvertes, nimbée de noctuelles et de hannetons.

– C'est chez Fêt.-Nat. !

Des cris, des chansons, du tam-tam sur batterie de cuisine se propageaient par rafales.

– Mes amis ! Ils refont la veillée !

Stoïque, il alla ranger la 2 CV devant la case mortuaire.

1. Introduction classique des contes antillais.
2. Synonyme de la « liane ».

TROISIÈME JOURNÉE
(mardi 5 juin 195...)

1

> *J'achevai cette semaine l'état des*
> *âmes de ma paroisse.*
>
> Le Père LABAT.

– Tim-Tim-Bois-Sec !

– Mmm ?

– Tim-Tim-Bois-Sec, debout !

À cette voix tonnante, Cambronne Mâcheclair se leva d'un bond. Tout en tirant sur son pantalon pour le défriper (il s'était couché tout habillé), il gagna d'un pas mal assuré la salle aux 18 chaises.

Le Père s'y promenait en long et en large, rouge, luisant, la soutane trempée aux aisselles.

– Ah, Tim-Tim-Bois-Sec ! Te voici levé ! Pas trop tôt ! Sais-tu quelle heure il est ?

– 8 heures peut-être, Père.

– Tu crois que, s'il était si tôt, il ferait une chaleur pareille ! Il est 12 h30, Monsieur le Congolio ! Voilà ce que c'est que d'aller tirer une bordée en ville et, ensuite, non content, d'aller se puncher à la veillée en récidive d'un pauvre défunt qui aurait eu besoin bien plus de prières que de chalbari !

– Père... Père... Si j'ai voyagé hier soir, c'était pour mon enquête.

– Et c'est dans le même but que tu as baladé de la femme dans ma guimbarde ?

Cambronne Mâcheclair eut l'impression que le plancher oscillait.

– Inutile de nier ! poursuivit le Père ; ce matin, tout le monde le savait déjà !

– Père...

– Ose me soutenir que tu ne t'es pas fait enlever par une serveuse à Madame Herminie !

Cambronne Mâcheclair eut peine à dissimuler son soulagement.

– Ça, Père, je l'avoue de grand cœur. Cette fille-là, le Commissaire Glandor lui conte fleurette ; elle aurait pu savoir des ti bitins intéressants...

– Quant à la beuverie impie à laquelle tu as participé chez le pauvre Fêt.-Nat. ?

– Père, si ç'avait été n'importe quel autre moune, je vous jure que je ne serais pas allé une seconde fois à sa veillée... D'abord, j'avais tellement envie de dormir... Mais lui ! Après une telle aventure...

– Tu avais peur qu'on revienne le kidnapper ! Pourquoi pas les zombies, cette fois ?

Le Père se calma d'un coup.

– À propos : quoique le de cujus n'ait guère eu l'occasion de pécher depuis vendredi dernier, sa famille tient à de nouvelles funérailles religieuses ; tous les notables y seront...

S'échauffant de nouveau :

– N'empêche que, quand tu as ramené la 2 CV au presbytère, tu ne devais plus avoir les yeux en face des trous !

Cambronne Mâcheclair retomba dans l'appréhension.

– Père, je ne crois pas avoir eu de choc...

– Non, mais tu as laissé les feux de croisement allumés !

– Vraiment, Père ?

– Si bien que, tout à l'heure, quand j'ai voulu démarrer, ma batterie était à plat !

– Je vais vous la faire recharger, Père.

– Ça se fera tout seul. En roulant. Je ne circule que de jour, moi. Seulement, la prochaine fois, je t'arracherai de ta couche pour que tu viennes me tourner la manivelle !

Le Père se mit à rire. Puis :

– Assez babillé ! Si je te rends cette visite, ce n'est pas pour te faire la morale : je serais arrivé plus tôt, j'aurais réservé une journée complète... Non ! Je voulais te dire que j'ai obtenu audience de Sa Majesté Onésiphore Zéro (ça change de « Premier ») et que tes affaires s'améliorent : tu n'es plus suspendu, mais en congé... Notre barrique pensante poussant l'intelligence jusqu'à changer d'avis aussi souvent qu'elle élimine ses urates, je me suis permis de lui demander une confirmation écrite.

Il fouilla dans sa soutane.

– Voici le papier.

La sérénité lui revenant, Cambronne Mâcheclair réalisa qu'il manquait au devoir d'hospitalité. Il se dépêcha d'y porter remède.

– Père, vous allez bien prendre un punch ?

– Je travaille, moi !

– Donc vous avez besoin de réparer vos forces. Et puis, j'ai tellement besoin de vos conseils...

– En vitesse, alors.

– Cerisette !

Elle apporta le tray aussitôt – démontrant que, pour la rapidité du service, il n'est rien de tel que d'écouter aux portes.

– Mon enfant, lui dit opportunément le Père, va donc prévenir ma gouvernante que je ne me mettrai pas à table avant un bon quart d'heure !

– Mais...

– Une bonne fois, s'il te plaît !

Et, dès qu'elle eut disparu :

– Tu voulais me parler des événements de l'Îlet... Eh bien, mon cher pourfendeur de moulins, je crois que c'est ce vieux renard de Glandor qui a raison ! D'abord, la chère tite veuve abricot a disparu, comme par enchantement. Et puis, quand la police s'est présentée à Coquille-Rouge pour emballer le beau Tibor, celui-ci, qu'on venait de voir entrer chez lui, s'est défilé par une arrière-cour, et on le cherche encore. Certainement, il avait organisé à l'avance son repli stratégique. Belles manifestations d'innocence de part et d'autre ! Si tu veux mon avis, pour meubler tes vacances, il ne te reste plus qu'à aller pêcher le dormeur à Ravine-Chaude !

Cambronne Mâcheclair manqua avaler son punch par le trou des dimanches. De sombres pensées l'assaillaient : Marie-Socrate, si manifestement innocente, c'était en la cachant qu'il l'avait rendue encore plus suspecte ! Et, pour la dénicher, ne suffirait-il pas de quelques heures à Commissaire-là ? Et, n'y parviendrait-il pas, est-ce que la belle enfant pourrait se terrer indéfiniment dans la vieille case de Mignonnette ? Il faudrait lui faire quitter l'île. Mais comment ? Le port serait surveillé, l'aérodrome du Raizet également...

À son insu, il murmura :

– Si j'avais une goélette !

– Pour taquiner le dormeur ? ironisa le Père.

2

> *Pourtant, ce qui sauvait cette ville,*
> *comme tant de villes de soleil plus anar-*
> *chiques encore, c'était sa couleur et sa*
> *vie.*
>
> Roger VERCEL.

Seules, la poussière et la moiteur de l'air tamisaient
les rayons d'un soleil presque encore au zénith. Écra-
sée à un bout par la Grande Église – d'une absence de
style très Jules Grévy – et à l'autre par le ciment armé
du Grand Hôtel, la rue n'en paraissait que plus plate
et plus sordide : caniveaux croupis où des myriades
de petits poissons justifiaient leur présence en se
livrant à une chasse incessante aux larves de mous-
tiques ; cases vermoulues, posées à touche-touche
mais sans aucun souci d'alignement, auxquelles on
accédait par des planches peu sûres ; ici, un marchand de sodas ; là, un carrossier maniant l'abrasif
tout au long d'une file d'automobiles en stationnement abusif ; pas un cocotier, pas même un arbre à

pain, presque pas d'herbe – fût-elle de Guinée [1]. Dans ce faubourg surpeuplé, le bricolage humain avait étouffé le végétal.

Cambronne Mâcheclair descendit de mobylette, s'épongea le front, enjamba le caniveau, se faufila entre deux cases. Derrière, il y avait une courette, puis d'autres cases séparées par d'étroits couloirs, puis de nouvelles arrière-cours, et ainsi de suite jusqu'à la rue parallèle. Des porcs à l'attache, couleur de sangliers, attendaient leur ration de détritus. Des poulets maigres picoraient – eux seuls savaient quoi. Des chiens jaunes, squelettiques, erraient à la recherche (pourquoi pas ?) des saucisses à la strychnine que, de temps en temps, mettait à leur disposition une municipalité trop amie des bêtes pour les laisser souffrir plus longtemps. Des bébés, innombrables, étaient assis tout nus, le ventre cossu, le nombril en bouchon de carafe. Accroupies sur leur pas de porte, des femmes en cotonnades bariolées épluchaient des légumes au-dessus de cuvettes cabossées, voire de bidets, se parlaient haut, souriaient à pleines dents, riaient à pleines fosses nasales.

Cambronne Mâcheclair plaisanta avec l'une, admira le ti moune [2] de l'autre, et, de palabre en palabre, il apprit que Chimène-Surprise avait regagné son domicile la veille au soir et qu'elle en était repartie presque aussitôt pour une destination inconnue de tous – sauf, probablement, de son bon ami : un boulanger établi dans les beaux quartiers.

1. Mauvaise herbe aux feuilles coupantes.
2. L'enfant.

3

La décadence du manioc a eu pour
corollaire une consommation accrue de
farine de froment et de pain.

Eugène REVERT.

M. Achille, le boulanger en question, faisait la sieste. Son épouse ayant consenti, non sans scrupules, à l'aller réveiller, il apparut, tout gros, tout fondant, dans un pyjama de rayonne bleu layette.

Cambronne Mâcheclair se présenta majestueusement :

– Je viens en tant que collaborateur de Monsieur le Procureur de la République.

Les chairs du boulanger se mirent à houler.

– Pains à mouin ka toujou fé poids légal !

– Plus que poids-là, souvent même ! glapit Mme Achille.

Cambronne Mâcheclair haussa les épaules.

– Mouin pa ka di aut' bitin, compé !

Puis, dans un chuchotis :

– Ce serait au sujet...

Il jeta un regard gêné vers Mme Achille, et, feutrant encore sa voix :

– Il s'agit d'une personne à qui vous voulez du bien...

– Pas de messes basses ! s'exclama M. Achille ; je suis un bon mari ; je ne cache jamais rien à ma femme !

Ravi d'avoir rencontré un ménage aussi respectueux des traditions, Cambronne Mâcheclair enchaîna sur un ton normal :

– Il s'agit de Mademoiselle Ahoua.

M. Achille pâlit.

– Ma Chichi ! Qu'est-ce qu'il lui arrive ?

– Elle pourrait bien aller à la geôle.

– Mais, au moment où le Syrien s'est fait tuer, elle était avec moi !

– Quand on a la conscience tranquille on ne se sauve pas.

Cambronne Mâcheclair réalisa trop tard qu'il en avait fait faire autant à Marie-Socrate. Cela le gêna mais ne l'empêcha pas de garder la mine sévère qui avait accompagné sa dernière phrase et de laisser le silence s'appesantir.

Enfin, il dit avec bonhomie :

– Qu'elle se cache où elle veut, peu m'importe. Seulement, j'ai des questions à lui poser. Je repasserai tout à l'heure, et ce serait un heureux hasard si elle venait acheter son pain à ce moment-là.

M. Achille se gratta l'oreille.

– Et, ensuite, elle pourrait continuer à faire ses courses ? Librement ?

– Si elle me dit la vérité, oui.

M. Achille contempla sa montre de poignet en or massif – boîtier et bracelet.

– J'aurai un beau baba pour toi. Viens donc le prendre vers les 6 heures !

4

Des Levantins, surtout des Syriens, se sont installés depuis une trentaine d'années dans cette partie des Tropiques...
SIRO.

– Bonjour, Tonton Mâcheclair.

– Bonsoir, Tonton Mirchid.

Sur le seuil de son bazar – Au Paradis des Starlettes, nouveautés, modes de Paris et de San-Juan – Tonton Mirchid était un parangon de l'élégance masculine entre les 14e et 16e parallèles nord : chemise de nylon couleur thé, cravate de soie à fleurs multicolores, boutons de manchettes en or jaune incrusté d'or gris, ceinture en peau de porc cousue sellier, pantalon de tergal bois-de-rose, étroits souliers noirs cirés de main d'expert.

Cambronne Mâcheclair cala sa mobylette contre le trottoir.

– Les affaires sont bien ?

Tonton Mirchid laissa errer un regard triste sur la

rue Frébault, cette Canebière en moins large, bordée entièrement de boutiques et d'étalages, embouteillée de véhicules tonitruants, grouillante de piétons, où la puanteur des moteurs surchauffés camouflait les émanations des aisselles acides.

– C'est terrible, Monsieur Mâcheclair! La canne s'est mal vendue ; les gens n'achètent rien.

Il se força à sourire.

– Venez quand même vous asseoir un moment!

– Volontiers, dit Cambronne Mâcheclair, j'avais justement quelques renseignements à vous demander.

Tonton Mirchid frappa dans ses mains. Une charmante vendeuse, couleur de glace pralinée, vint le relayer près de la devanture. Cheminant entre les vitrines de bijoux fantaisie, les présentoirs de parfumerie, les rangs serrés de robes, les piles de pièces d'étoffe, de lessiveuses, de cuvettes, de casseroles, de canaris, d'assiettes, de presse-purée, d'outils, de rouleaux de grillage, les deux hommes s'enfoncèrent dans le magasin, jusqu'à une clairière où, sous un immense ventilateur plafonnier, trônait un bureau ministre en tôle émaillée.

Ils s'assirent là, sur des chaises scolaires encore enveloppées de bandelettes de papier Kraft. Tonton Mirchid brancha le ventilateur, saisit une sphère de verre à l'intérieur de laquelle le moindre mouvement faisait neiger de la poudre de bronze sur Notre-Dame-de-la-Garde, et en heurta précautionneusement le bureau.

Une seconde vendeuse apparut, charmante elle aussi mais couleur de glace au chocolat. Sur un tray de fer peint en faux bois, elle apportait deux petites tasses de café très noir.

Avec effort, Cambronne Mâcheclair élabora une

grimace alléchée. Il détestait ce moka, d'origine non garantie, fort en diable et dont on accentuait l'amertume grâce à l'adjonction de mystérieuses graines[1].

– Cigarettes, Tonton Mâcheclair ?

Tonton Mirchid prit dans son tiroir deux paquets de Chesterfield, les ouvrit, en posa un devant son hôte.

– Pour vous, Tonton.

– Laissez-moi vous dire Tonton Mirchid ! je fume si peu...

– Pour vos petites amies, alors !

Cambronne Mâcheclair ferma les yeux. Malgré sa polygamie constitutionnelle, les seules lèvres entre lesquelles il pouvait imaginer les cigarettes miellées du Tonton damascène, c'étaient celles, fraîches et pulpeuses de la tite fille abricot.

Mais, une enquête s'accommodant mal de la rêverie, il se hâta de rouvrir les yeux et de dire :

– Vous savez certainement déjà, Tonton Mirchid, que, le premier jour, à cause des élections, c'est moi qui me suis occupé tout seul de l'affaire de l'Îlet. Maintenant, officiellement, j'ai passé mes pouvoirs à Monsieur le Commissaire Glandor. Mais Monsieur le Procureur de la République...

Tonton Mirchid eut un sourire nuancé de regrets.

– Monsieur le Procureur est un bon ami à moi ; je lui ai souvent proposé de venir prendre le café ; mais il a tellement de travail...

Un soupir. Puis :

– Monsieur le Commissaire Glandor est aussi un très bon ami. Il vient, lui. Franchement, je trouve même qu'il vient trop souvent. Il me demande toujours des renseignements sur des tas de mounes...

– Toujours est-il, reprit Cambronne Mâcheclair,

_____
1. De coriandre ?

que Monsieur le Procureur et Monsieur le Juge d'Instruction m'ont prié de poursuivre mes investigations. Officieusement. Très discrètement.

Après un temps :

– Selon vous, quels peuvent être les mobiles de l'assassinat de Monsieur Hama ?

Tonton Mirchid jeta son mégot, alluma une nouvelle Chesterfield, et, posément :

– Franchement, Monsieur Mâcheclair, ce Monsieur Hama était une grande saloperie. Le bruit court que c'est sa jeune épouse qui l'aurait fait supprimer pour hériter, mais je connais beaucoup d'autres personnes qui avaient d'aussi bonnes raisons.

– Hein ! hein ! Qui donc ?

– Les obsèques de M. Hama ont lieu dans une demi-heure. Venez avec moi, Tonton ! Tous ses ennemis y seront.

– Et vous me les montrerez !

D'excitation, Cambronne Mâcheclair avait, d'une gorgée, vidé sa tasse.

Tonton Mirchid se remit à jouer du presse-papier.

– Violette !

– Merci ! merci beaucoup ! s'effraya Cambronne Mâcheclair ; pas d'autre café, s'il vous plaît ! Mon cœur, laissez-moi vous dire...

– Un peu de bière, alors ?

Il acquiesça, son estomac ayant connu des mélanges plus indigestes, et Violette, en tortillant des hanches, s'en fut acheter des bouteilles bien fraîches de bière du Holstein.

5

*Mouin voué maqué lassi gnon grand
pied planche gnon l'épitaphe qui té bien
plaisant.* [1]

BAUDOT.

– Franchement, Monsieur Mâcheclair, c'est le premier enterrement qui n'a qu'un quart d'heure de
retard. Attendons-le ici !

Empanaché aux quatre coins, tiré par une rosse aux
plumets assortis, le corbillard rococo remontait au
pas de parade une rue Frébault dépeuplée, où quasiment toutes les boutiques avaient baissé leurs rideaux
de fer. Derrière lui et jusqu'au porche drapé de noir
d'un presque gratte-ciel voisin du port, avançait laborieusement une double file de Syriens et de Libanais,
les uns endeuillés, les autres endimanchés, mais chacun tenant devant son estomac une couronne en celluloïd.

1. J'ai vu, marquée sur une planche d'un grand pied, une épitaphe qui était bien plaisante.

167

Tonton Mirchid jeta sa Chesterfield.

— C'est Habib, le frère et seul parent du défunt, qui conduit le cortège. Vous le connaissez ?

— J'ai dû le voir dans le magasin de Monsieur Tartous...

— Certainement pas. Tonton, vous le regarderez bien !

— Voulez-vous dire...

— Oh oui ! Il en est capable. Franchement, Monsieur Mâcheclair, Tartous, c'était une crapule, mais un grand commerçant...

(Du ton dont Louis de Rouvroy, duc de Saint-Simon, eût dit : « un grand seigneur ».)

« Habib, lui, c'est une petite ordure. Un garçon qui n'a rien fait à l'école, sinon battre les plus petits ; qui n'a jamais voulu apprendre le commerce ; qui a toujours vécu aux crochets de son frère : Ferrari, canot de course, tailleur à Porto-Rico... Et ce n'est pas encore ce qui a coûté le plus cher à Tartous : c'est quand Habib a essayé de travailler.

— Il a fait faillite ?

— En pareil cas, ce sont les créanciers qui auraient perdu, Tonton ! Pas Tartous !

— Il ne s'est quand même pas lancé dans la contrebande ?

— Puisque je vous ai dit, Tonton, qu'il ne connaissait rien au commerce... Franchement, Monsieur Mâcheclair, tout ce qu'il a été capable de faire, c'est du trafic : d'abord, des cigarettes à la marijuana ; ensuite, du pastis à l'alcool de bois ; l'an dernier des armes. Chaque fois, Tartous a tout arrangé, mais il y a laissé des poils...

— Des plumes, Tonton Mirchid !

— Des plumes ? des poils ? c'est même bitin ! ça fait mal quand on tire dessus !

– Ce Habib est manifestement un mauvais garçon ; mais, laissez-moi vous dire, avait-il intérêt à tuer son frère ?

La main de Tonton Mirchid se mit à compter des billets de banque imaginaires.

– Il hérite, Tonton !

– Il me semblait qu'il y avait une donation...

– En faveur de l'épouse, oui, mais pas de la totalité. Tartous était prudent... Mi, Tonton ! voici Habib...

Suivant le char funéraire au rythme d'un automate à bout de ressort, Habib était un homme jeune en train de mal vieillir : traits marqués, yeux pochés, teint verdâtre, cheveux raréfiés vers les tempes, regard droit mais plus arrogant que franc. Tenant mollement la couronne rituelle, ses doigts se détendaient par instants en une sorte de gigue.

Très bas, comme peureusement, Tonton Mirchid reprit :

– Et puis... Monsieur Mâcheclair, je vous le dis parce que je ne veux rien cacher à un excellent ami comme vous... Tel que je connais Habib, il peut très bien avoir pensé que la donation tomberait si Madame Veuve Hama était reconnue coupable.

Malgré la chaleur étouffante, Cambronne Mâcheclair frissonna.

6

Yo kallé plimé ou, ou kallé fini mal !!![1]

BAUDOT.

– Tonton Mâcheclair, mi là ! la couronne bleue...
– Un suspect ?
– Ahmed Driss.

Le cheveu lisse, plus châtain que brun, le teint clair, les traits d'un guerrier nordique mais la corpulence d'un petit télégraphiste, des vêtements de bonne coupe quoique fatigués, un sourire gentiment attristé.

– Je ne le vois pas assassiner quelqu'un, remarqua Cambronne Mâcheclair.

Tonton Mirchid fit une moue sentencieuse.

– Oui, Tonton, c'est un charmant garçon. Seulement... Franchement, il en voulait à mort à Tartous. Figurez-vous qu'un jour, il n'y a pas longtemps, Tar-

_____

1. Ils vont te plumer, tu vas finir mal !

tous a eu un petit accrochage avec les Douanes. Furieux qu'il était, il n'a rien trouvé de mieux que d'écrire à Monsieur le Directeur un bitin dans le genre de : « Je comprends mal pourquoi, moi, on me cherche des poux dans la tête pour un seul colis non conforme à la déclaration, alors que personne n'a jamais rien dit à Monsieur Ahmed Driss, qui achète toutes ses étoffes à Hong Kong et les fait démarquer à Antigue pour bénéficier des tarifs préférentiels existant d'abord entre les dominions, puis entre les Antilles anglaises et les Antilles françaises. » À la suite de ça, le pauvre Ahmed est passé en correctionnelle. Tartous, naturellement, a refusé de témoigner. Il a même écrit à Monsieur le ministre des Finances pour protester contre l'usage abusif que les gabelous avaient fait d'une simple correspondance privée. J'ai eu beau en parler à plusieurs bons amis à moi qui sont haut placés... Ahmed a été condamné. À une telle amende, Monsieur Mâcheclair, que, même s'il obtient une transaction, il sera ruiné !

*... Avé la différence
Ou resté dans case-ou.* [1]
BAUDOT.

— Mi, Tonton, le vieil Italien tout bossu, qui a des cheveux comme de la ouate blanche !

— Je le connais, Tonton, c'est Campobasso. Il tient une épicerie.

Tonton Mirchid hocha sentencieusement la tête.

— Franchement, Monsieur Mâcheclair, je me demande ce que Monsieur le Préfet attend pour le faire expulser ! Au point de vue commercial, je n'ai rien à dire contre lui. Mais c'est qu'il déteste la France... L'autre jour, au Plazza, j'étais allé voir *Caroline Chérie*. Il était juste devant moi. Eh bien, savez-vous ce qu'il a fait ? Chaque fois que, dans le film, on voyait des soldats français, des soldats d'il y a cent cinquante ans, Monsieur Campobasso les trai-

1. Avec cette différence que vous restez dans votre case.

tait de salauds ! Franchement, Tonton, quand on gagne sa vie dans un pays étranger, je ne comprends pas qu'on manque tellement de discrétion !

– Je ne vois pas le rapport...

– Avec l'incident du cinéma ? Il n'y en a pas, tonton ; c'était seulement pour vous montrer combien ce Monsieur Campobasso est un homme haineux. Mais... écoutez la suite ! Vous savez que, Tartous et lui, ils avaient leurs magasins côte à côte. Leurs maisons aussi, car ils étaient tous deux propriétaires. Quand Tartous a envisagé de se reconstruire en dur, il a demandé à Campobasso de lui vendre une petite bande de terrain, inoccupée, utile seulement pour les mounes qui avaient trop bu. Il lui a offert trente dollars du mètre carré : Campobasso a rigolé. Quarante-cinq dollars : Campobasso l'a traité de fauché. Soixante : Campobasso l'a foutu dehors. Alors, Tartous s'est résigné à recourir aux voies de droit. Vous savez combien le commerce, ici, a besoin des banques : Tartous a fait supprimer à Campobasso toutes ses autorisations de découvert. Le pauvre Italien s'est retrouvé du jour au lendemain avec un débit catastrophique. Pour se remettre à flot, il a été obligé de tout vendre. Tout sauf son fonds et son immeuble. Tartous en a été réduit à construire en encorbellement, et Campobasso a juré qu'il aurait sa peau.

8

Zissié, di-yo silence ![1]
BAUDOT.

– Mi, Tonton ! Maître Sucrier... Vous le connaissez ?

– Oui, Tonton Mirchid ; je lui ai prêté le concours de la force publique, une fois ou deux, quand il était huissier...

C'était un petit homme d'une soixantaine d'années, presque blanc s'il s'était décrassé, chétif, chafouin, flottant dans un vieux costume en Palm-Beach.

Tonton Mirchid se fit méprisant.

– On l'a révoqué parce qu'il avait perdu au jeu tout l'argent de ses clients.

– Au pit à coqs ?

– Au poker, dans les arrière-boutiques. Tartous lui a évité la prison en lui prêtant de quoi rembourser...

1. Huissier, dites-leur de faire silence !

Franchement, Monsieur Mâcheclair, je ne crois pas que c'était par pitié ! Il l'a embauché comme P.-D.G. des affaires qu'il préférait mettre en société ; il l'a chargé de son contentieux, de ses recouvrements ; et puis, naturellement, Maître Sucrier est devenu son homme de paille pour tout ce qui risquait de se terminer en correctionnelle.

– Il était bien payé ?

– Très largement.

– Pourtant, il a toujours l'air pouilleux !

– C'est dans sa nature. Et puis, il continue à jouer...

– Hein ! hein !

– Même, ces derniers temps, il a beaucoup perdu.

– Il devait manipuler de fortes sommes pour M. Hama ?

– Très grosses, Tonton. Et, seul, Tartous pouvait dire à combien elles se montaient.

– Hein ! hein !

La queue du cortège était en vue.

Tonton Mirchid défit le paquet qu'il tenait sous le bras, en tira deux couronnes passablement déteintes, tendit l'une à Cambronne Mâcheclair, garda l'autre, jeta l'emballage dans le caniveau.

Ils se mirent à défiler.

Avè combosse
Tini gros bosse.
BAUDOT.

Des murs de hangar, des colonnades de fonte, une charpente métallique... Il fallait l'autel, les prie-Dieu, les cierges, pour qu'on se sût dans une église. Faute d'acoustique, les harmonies de Jean-Sébastien Bach tintaient grêles comme un air de vielle.

Très décontracté, Tonton Mirchid entraîna Cambronne Mâcheclair vers les chaises capitonnées, réservées aux proches, et dont la plupart étaient vacantes.

Ils s'assirent à côté d'une jeune femme tout de noir vêtue. Cambronne Mâcheclair ne fut pas long à guigner cette belle mulâtresse dont la mantille et la robe montante laissaient deviner des yeux ardents, un visage félin, de longs cheveux lisses, un corps élancé, cambré, avide – mais, dès qu'il l'eût reconnue, toute concupiscence le quitta.

Il se pencha vers l'oreille de son compagnon.

– Tonton... Vous ne pouviez pas savoir, évidemment... Mais ké vié idée ou tini fé sizè mouin près fille-là ![1]

– Mademoiselle Gastonia... Vous la connaissez donc ?

Cambronne Mâcheclair branla vertueusement du chef.

– De vue, Tonton Mirchid ! de vue !

– Puisque vous la connaissez, Tonton Mâcheclair, vous savez aussi bien que moi quelles raisons elle avait d'en vouloir à mort à Tartous. Jusqu'à une date récente, elle n'était pas seulement sa première vendeuse, mais aussi sa petite amie...

– Si toutes les demoiselles avec qui on a rompu...

– Franchement, Monsieur Mâcheclair, c'est que la demoiselle est particulière... Une fois, c'était un radio-téléphoniste qui rembarquait pour France en la laissant là : elle est allée l'attendre à la coupée du Rochambeau avec un revolver dans son sac ; et le Monsieur, qui n'était pas rassuré, il a dû monter à bord avec les gros bagages... Une autre fois, elle avait un concubin qui la trompait et un soupirant qui était agent de police : elle a fini par aller dans les cannes avec ce dernier, c'était son droit, mais avant il a fallu que le pauvre flic emmène l'infidèle au commissariat et qu'il le passe à tabac...

Pour se moucher, Gastonia leva sa mantille.

Elle pleurait de vraies larmes, mais avec une expression furieuse.

1. Mais quelle mauvaise idée vous avez eue de me faire asseoir près de cette fille !

10

*Car c'est le cimetière-là, qui règne si
haut, à flanc de pierre ponce ; foré de
chambres, planté d'arbres qui sont
comme des dos de casoars.*

SAINT-JOHN PERSE.

Autour des tombes, la terre était grasse, comme
gourmande.

Devant la chapelle de la famille Hama, la dalle
avait été déposée, et, par l'ouverture ainsi pratiquée,
plongeait en oblique une longue planche. À côté, un
maçon attendait, la truelle à la main, l'auge aux
pieds.

Après la dernière bénédiction, les porteurs
lâchèrent la bière sur la planche ; elle glissa trop vite
et un grand bruit de choc résonna dans le caveau.

Des rires fusèrent.

Au moment du dispersement :

– Mon chauffeur doit être arrivé, dit Tonton Mirchid ; voulez-vous que je vous dépose en ville ?

– Merci à ou, dit Cambronne Mâcheclair, mais j'ai envie de marcher.

Pour sortir avant la cohue, il coupa entre les tombes. La pente était forte, le sol glissant. Il s'étala.

– Vous ne vous êtes pas fait mal, mon cher ?

Surgi mystérieusement – il semblait toujours sortir d'une cachette – le commissaire Glandor l'aida à se relever, à s'essuyer. Puis, avec un sourire bienveillant :

– Justement, je vous cherchais : j'ai une bonne nouvelle...

– Vraiment, Commissaire ?

Glandor lui enveloppa le bras.

– Oui, une très bonne nouvelle. Vous n'avez pas mal ? Vous pouvez marcher ? Dans une heure, quand la boue sera sèche, vous n'aurez qu'à vous brosser... Cette nouvelle, vous n'en parlerez à personne, c'est encore confidentiel... Voici : Monsieur le Sénateur et moi-même ne sommes pas du tout d'accord sur la façon – disons : cavalière – dont notre ami Blanchedent vous a traité hier. Nous sommes donc intervenus auprès de lui – très cordialement mais fermement – pour qu'il adoucisse les sanctions qu'il envisageait de prendre à votre encontre...

Avec autant d'émotion que s'il croyait à la véracité de ses bons offices, Cambronne Mâcheclair remercia le Fouché local.

– C'est la moindre des choses, ronronna celui-ci : vous nous trouverez toujours aux côtés de l'innocence et de la justice... En un mot, vous ne serez pas révoqué !

Le sourire du commissaire se fit soucieux.

– J'aurais voulu aussi vous assurer que vous n'aurez pas à passer devant le Conseil de discipline des agents communaux, mais Monsieur Blanchedent ne semble pas encore décidé à se laisser fléchir jusqu'à ce point. Notez bien que je ne désespère pas...

Un sourire engageant :

– Si vous entendez parler d'un bitin susceptible de m'aider dans mon enquête, faites m'en part une bonne fois ! Cette marque de dévouement améliorerait grandement votre position administrative. Vous com...

S'interrompant, le commissaire s'était incliné très bas.

– Mes respects, Monsieur le Procureur.

M. Boid'ho se contenta de lui répondre par un petit geste protecteur. Son regard s'était perdu vers les nuages qui commençaient à rougeoyer, dessinant, ici, des montagnes abruptes et, là, le profil de Napoléon-le-Petit. Il arracha une herbe sauvage, l'émietta. Puis, très sec :

– Commissaire, vos recherches traînent.

Glandor peaufina un sourire à la fois déférent et douloureusement surpris.

– Je vous assure, Monsieur le Procureur...

– Ne discutez pas ! Activez !

Un vague au revoir, et il avait tourné les talons.

Le commissaire ne souriait plus.

Criquets et crapauds saluaient le déclin du jour.

Soudain, M. Boid'ho s'arrêta, ébaucha une demi-rotation.

– Garde champêtre, rendez-vous dans une heure, chez Madame Herminie !

Le commissaire eut un sourire indulgent.

Puis, une fois M. Boid'ho hors de portée d'oreille :

– Je m'en voudrais ma vie durant si vous deviez tirer de cette invitation, peut-être formulée sans grande réflexion, des conséquences qu'en tout état de cause elle ne saurait comporter : les procureurs

180

passent, les substituts valsent, les juges aspirent toujours à connaître de nouveaux D.O.M. ; moi, je suis
toujours là.

Son sourire était terrifiant.

11

Depuis de nombreuses années, aucune affaire d'empoisonnement n'a été traduite en justice.

Eugène REVERT.

M. Achille posa l'index sur le plus gros baba de son étalage.

– Il te plaît ?

– Mes amis !

Après quelques secondes d'admiration, Cambronne Mâcheclair enchaîna :

– L'autre promesse ?

M. Achille l'emmena vers son fournil.

– La demoiselle ne voulait pas t'attendre. Alors, je l'ai enfermée là.

– C'est bien. L'homme doit montrer son autorité.

M. Achille déverrouilla la porte, prit une petite voix :

– Chichi... Chichi...

Chimène-Surprise était tapie derrière le pétrin, tremblante, larmoyante.

– Chichi, c'est le Monsieur de la Police.

Elle renifla, sans bouger ni parler. M. Achille insista :

– Il est très gentil, tu sais. Il ne t'arrêtera pas si tu lui dis bien tout. D'ailleurs, il a accepté le baba...

– Mais s'il le rapporte... ?

Cambronne Mâcheclair s'impatienta :

– Ma fille, si tu continues, tu mangeras le baba toi-même... à la geôle !

Elle se mit à gémir.

M. Achille sortit.

Elle en était à ululer, quand il revint, brandissant une cravache découpée dans un pneu de camion.

– Chichi, tu veux que je recommence ?

– Chichille !

– Alors, raconte ! Tite bouteille à demoiselle-là... ?

En pleurnichant, elle tira de son cabas une fiole au contenu trouble.

– Demoiselle ka ban mouin ti bitin-là pou mett' dans café à Missié Hama, mais li déjà mo' quand mouin ka rivé ![1]

Cambronne Mâcheclair examina pensivement la fiole.

– Poils bambou ? racine pomme-rose ?

Chimène-Surprise s'agita.

– Pas poison ! demoiselle ka juré mouin ça-là même ! Ka di mouin : petit quimbois pou 'éveillé l'amou !

– L'expertise nous l'apprendra.

Cambronne Mâcheclair empocha la fiole.

– La demoiselle t'avait donné combien ?

1. La demoiselle m'a donné ce petit machin pour mettre dans le café de M. Hama, mais il était déjà mort quand je suis arrivée !

Elle évita son regard.

– Mille francs.

M. Achille caressa sa cravache.

– Attention ! Ce n'est pas ce que tu m'avais dit !

Piteusement, elle murmura :

– Cinq mille.

– Ban mouin ! dit Cambronne Mâcheclair.

Lentement, tristement, elle glissa la main dans son cabas, en extirpa un porte-monnaie informe, y prit un billet plié menu.

– C'est tout ?

– Demoiselle pa ka ban mouin aut' bitin, je jure !

– Rien d'autre à me dire ?

– N... non.

– Si ! le nom de la demoiselle au quimbois ?

– Mademoiselle Gastonia.

12

C'est évidemment un point fort déli-
cat à aborder.

Eugène REVERT.

– Monsieur Marigot, ce serait pour une analyse.
– Sang ? urine ? crachat ?
– À vous de le préciser, Monsieur Marigot. Je veux
savoir ce qu'il y a exactement dans tite bouteille-là.
– Hihi ! on se méfie de sa bonne amie ?
Le vieux pharmacien poivre et sel, non seulement
de poil mais aussi de peau, déboucha la fiole, en
flaira le contenu, fit la grimace.
– De prime abord, ce n'est pas un charme à
l'odeur, hihi ! Laissez-moi vous dire : ça pue ! Reve-
nez donc demain soir ! Je pourrai alors vous dire si la
dame de vos pensées est une Calypso ou une
Locuste !
Il s'accorda le temps d'un fou rire. Puis :
– À propos, mon ché... Il serait bon, juste et honnête que vous me versiez une petite provision. C'est

compliqué, la chimie organique... les matières organiques, hihi ! Cinq mille, ça va ?

Le billet confisqué à Chimène-Surprise changea de mains.

– Ça va, dit Cambronne Mâcheclair, mais ce sera tout.

Nouveau fou rire du pharmacien.

– Entendu, hihi ! je vous ferai pour cinq mille balles d'analyse !

Puis, avec une gravité qui contrastait :

– En attendant, mon ché, laissez-moi vous dire, si vous devez revoir la personne dont il s'agit, n'acceptez d'elle ni breuvage ni nourriture !

– C'est noté, Monsieur Marigot. À demain, si Dieu veut !

Cambronne Mâcheclair se rendit tout droit à la darse, y jeta le baba de M. Achille et s'en repartit vers son rendez-vous avec M. Boid'ho – en se promettant bien de prendre, dès le lendemain matin, des nouvelles de la santé des poissons nettoyeurs.

13

Comme d'autres îles, la Guadeloupe fut un pion sur l'échiquier politique européen, comme je me le rappelais chaque fois que je regardais la Place de la Victoire.

Carleton MITCHELL.

Miracle ! La Place de la Victoire était illuminée.

– Notre Député-Maire aurait-il vu la Cour de cassation favorable à son pourvoi ? dit M. Boid'ho.

– *Le Nouvelliste* aurait sorti une édition spéciale ! dit M. Aber.

– Comme pour chaque arrivée de marchandises ! dit M. Boid'ho.

– La Guadeloupe rencontre l'Île-Sœur en championnat de basket, trancha Cambronne Mâcheclair.

De la terrasse de Mme Herminie, pas question de distinguer les joueurs, masqués qu'ils étaient par les doubles files d'autos en stationnement et par des milliers de spectateurs en mouvement brownien.

Par contre, c'était un plaisir nouveau de voir, dans la lumière reconquise, les flamboyants rutiler et les sabliers bosseler leurs troncs. Tels, à la lueur d'un dernier incendie, ils avaient dû apparaître au Conventionnel Victor Hugues après l'écrasement des envahisseurs britanniques.

M. Aber but une gorgée de Tuborg. Puis :

– Hier, aux dires de Monsieur Glandor, nous n'avions que deux suspects possibles et, de surcroît, complices... Ce soir, grâce à vous, Monsieur Mâcheclair, nous pouvons en ajouter cinq : Habib Hama, Ahmed Driss, Alfredo Campobasso, Déterville Sucrier, Gastonia Traversin.

Cambronne Mâcheclair cessa de touiller son punch (rhum blanc, pomme-liane et sirop de canne).

– Demain, Juge, je tâcherai de vous en procurer d'autres, des suspects.

– Garde Champêtre, vous allez nous submerger ! dit M. Boid'ho, tout en versant un dé à coudre d'eau de seltz dans son whisky.

– Pour déblayer toutes ces pistes, dit M. Aber, je vais délivrer des commissions rogatoires très fractionnées, les unes à la police, les autres à la gendarmerie.

Cambronne Mâcheclair faillit en lâcher son verre.

– Juge, et moi ?

M. Aber eut un geste résigné.

– C'est un travail d'équipe. Un seul homme n'y suffirait pas.

Sans l'avoir voulu, Cambronne Mâcheclair cogna du poing sur le guéridon.

– Il faut me faire confiance, Juge ! Et vous aussi, Procureur ! Il n'y a que moi qui aie trouvé quelque chose ! Il n'y a que moi qui puisse mener l'enquête à bien !

Les magistrats échangèrent des regards amusés.

– Si vous êtes si sûr de vous, dit M. Boid'ho, vous ne devez pas redouter la concurrence !

– Il serait contraire à tous les précédents, dit M. Aber, de confier l'exécution d'une commission rogatoire à un garde champêtre et, qui plus est, à un garde champêtre en congé.

Il abandonna son air formaliste pour un large sourire.

– Mais rien ne vous empêche de poursuivre les investigations personnelles auxquelles vous vous livrez si utilement depuis avant-hier. Nous ne pourrons vous appuyer qu'officieusement, mais non sans efficacité. Par ailleurs, je vous donne l'assurance qu'en cas de réussite, je ferai en sorte qu'un tiers ne s'attribue pas vos mérites.

– Nous empêcherons les geais, y compris les R-Geais, de vous voler vos plumes ! dit M. Boid'ho.

Cambronne Mâcheclair essuya l'amorce d'une larme.

– Merci, Juge ! merci, Monsieur le Procureur !

Et, ouvrant précipitamment son vieux carnet de contraventions :

– J'ai noté là tous les indices ; on pourrait regarder ensemble. D'abord, la boîte à œufs ; elle porte une marque : *Ermitage de Maulette...*

– Maulette, dit M. Aber, c'est à côté de Houdan, sur la Nationale 12. J'y suis souvent passé quand j'étais Suppléant Rétribué, affecté au Tribunal Civil de Chartres.

– C'est une commune importante, Maulette ? demanda Cambronne Mâcheclair.

– Je ne crois pas, dit M. Aber, mais c'est en plein pays d'élevage avicole. Il doit donc y avoir nombre de producteurs d'œufs.

– Ce n'est pas grave, dit Cambronne Mâcheclair ; il suffit que je trouve des œufs de l'*Ermitage de Maulette* chez n'importe quel épicier. Il me donnera le nom de son importateur. Par ce dernier, je connaîtrai tous les détaillants.

– Impeccablement raisonné, dit M. Boid'ho.

Cambronne Mâcheclair remercia d'une courbette.

– La corde avec laquelle les victimes étaient ligotées, c'est du septain de six millimètres ; j'ai vérifié sur le catalogue de Manufrance. J'aurai vite retrouvé les commerçants qui en vendent...

– Mais non point, dit M. Boid'ho, les particuliers qui en achètent par correspondance !

– Cela, laissez-moi vous dire, Monsieur le Procureur, ce sont des recherches que nous pourrions laisser à la Police ou à la Gendarmerie !

Très vite, Cambronne Mâcheclair poursuivit :

– Troisième indice : l'habit de Fêt.-Nat. Ce n'était pas un article neuf...

– Même, dit M. Boid'ho, il m'a semblé d'une élégance archaïque.

– Si vous permettez, Monsieur le Procureur, qu'avez-vous remarqué d'autre ?

M. Boid'ho énuméra doctement :

– Col et poignets râpés. Tissu mou, comme lavé. Précédent possesseur grand et maigre. Je préciserai : genoux pointus.

– Et, intervint M. Aber, j'ajouterai : peu soigneux. Vous n'avez pas remarqué les taches ? Ce ne sont pas des traces de graisse, de vernis ou de peinture ; l'étoffe est altérée ; l'alcool a des effets de ce genre.

– Que ne l'avez-vous dit plus tôt ! déplora M. Boid'ho tout en tamponnant avec son mouchoir une goutte de whisky chue sur son pantalon.

– À part ces détails, dit Cambronne Mâcheclair, des vêtements de soirée comme celui de Fêt.-Nat., il y en a des centaines, des milliers ! Tous les mounes qui vont au bal ou qui y sont allés dans leur jeunesse ou qui ont hérité de quelqu'un qui y allait, tous ces mounes-là tini même bitin dans coffre à yo.

– Autant chercher, dit M. Boid'ho, un grain de sucre perdu un jour de pluie dans un champ de cannes !

– Quatrième indice, annonça Cambronne Mâcheclair : la bouteille qui était posée sur la petite table ronde...

– Et pour la récupération de laquelle, dit M. Boid'ho, votre ami le gardien de phare a été estourbi ! Qu'avait-elle donc, cette bouteille, de si particulier, de si précieux ?

– Je n'en sais rien, Monsieur le Procureur. Je l'ai bien regardée. C'était une grande bouteille à bière, probablement d'un litre, vide, très propre.

– Pas d'étiquette ? demanda M. Aber.

– Non, Juge.

– Pas de marque moulée dans le verre ?

– Non, Juge.

– Dans ce cas, comment pouvez-vous affirmer qu'il s'agissait d'une bouteille destinée à contenir de la bière ?

– Parce que, Juge... je me rappelle ! Elle était comme les canettes de bière d'autrefois : avec une ferrure à bascule, un bouchon de faïence, un ti rond de caoutchouc...

– Je vois.

– Et, pourtant, Juge, en haut du goulot, il y avait une rainure circulaire, comme sur les récipients d'eau de Didier ou de Vichy.

Les yeux de M. Aber s'éclairèrent.

– Très intéressant.

– Blague à part ? dit M. Boid'ho.

– Mon cher ami, je ne connais ici qu'une seule bière qui soit vendue dans des litres équipés d'une capsule-couronne, comme garantie d'origine, et d'une fermeture à levier, pour la commodité du consommateur ; et il ne s'en vend pas encore dans beaucoup d'endroits.

– Cinquième catégorie d'indices, dit Cambronne Mâcheclair : les bougies. Mais tous les abonnés de la S.P.E.D.E.G. en ont au moins un paquet dans leur placard : il y a tellement de pannes de courant !

– Et puis, dit M. Boid'ho, si les pannes ont été inférieures aux prévisions, on liquide son stock à la Toussaint !

– Une très belle coutume, d'ailleurs, dit M. Aber. Malheureusement, l'illumination des tombes ne rend pas très bien en photo... même avec de la pellicule panchro.

– Enfin, dit Cambronne Mâcheclair, pouvons-nous considérer comme indices les tites pièces d'un franc qui étaient empilées entre les bougies ?

– Elles n'ont plus cours, dit M. Aber, tous les prix sont arrondis à cinq ou à dix.

– À la douane, Juge, dit Cambronne Mâcheclair, ils continuent à rendre la monnaie avec.

– Un gabelou ? dit M. Boid'ho ; cela n'est point sur mon rôlet.

– Il n'y a pas que ceux qui rendent la monnaie, dit M. Aber, il y a ceux qui la reçoivent.

– Et aussi les collectionneurs... conscients ou inconscients !

– Je vérifierai tout ! assura Cambronne Mâcheclair non sans éprouver quelques craintes au fond de lui-même ; il n'est pas d'ananas, si épineux qu'il soit, qu'on ne finisse par éplucher.

– Bonne corvée de pluches ! conclut M. Boid'ho.

14

On promett cé on dette[1].
ZAGAYA, Proverbes créoles.

Les magistrats étaient repartis.
Renélia s'approcha en se dandinant.
– Papa Tim-Tim...
– Quoi donc, ti cabouitt à mouin ?
– Tu viendras me prendre à la fermeture ?
Cambronne Mâcheclair eut un rire gêné.
– Aujourd'hui, tite fille, je ne suis pas un moune fréquentable. Je ne dispose que d'une mobylette et le Code de la Route m'interdit un passager, faute de siège aménagé !
Elle se renfrogna.
– Au moins, tu ne les as pas oubliées ?
– Les ?
– Mes boucles d'oreilles !
Il fouilla longuement dans ses poches.

---

1. Une promesse, c'est une dette.

– Tambour ! je les ai laissées à la maison !

Elle se buta.

– Quitte à te faire verbaliser par tes collègues, tu vas m'y emmener !

Il crut entendre les grommellements de Cerisette, le babillage des voisins, le sermon de M. le Maire, la gueulante du Père – les glapissements, enfin, de Renélia quand elle se serait aperçue que, s'il y avait bien une paire de boucles d'oreilles dans la malle porte-habits de son vieux galant, celui-ci n'avait aucune intention de les lui offrir, 1° parce qu'elles constituaient un legs sacré de feu Mme Mâcheclair, 2° parce qu'elles étaient en or.

Il se leva.

– Je vais te les rapporter.

– Avant la fermeture ?

– Ma parole !

Elle amincit un sourire en menace de morsure.

– Si je ne te vois pas à 11 heures, je vais chez toi par le dernier char...

Les jambes lourdes, Cambronne Mâcheclair regagna sa mobylette.

Il enfila la rue Boisneuf, la rue Frébault, la rue de Nozières à la recherche d'un bazar qui fût encore ouvert. N'en ayant pas trouvé un, il se résigna à aller importuner Tonton Mirchid à son domicile personnel. Personne ! D'après les voisins, le Tonton damascène était parti dîner à Trois-Rivières, au Trou-au-Chien, chez un compatriote, entrepositaire d'épices, qui, dans un vallon couleur d'émeraude, se rafraîchissait de cascatelles et s'embaumait de vanille.

15

La nouite, ou pa té ka rété en place[1].
BAUDOT.

– De ce côté-ci, il y a le baobab... Chazeaux, là... Et l'étang là, tout près ? Cocoyer, mes amis ! Je l'ai vu couvert de poules d'eau...

Presque mot à mot, Cambronne Mâcheclair se répétait, tout en roulant, les paroles de la veille.

Un nuage passa sur la lune, et, des Grands Fonds, tout s'estompa : les mornes, les étangs, les vallées inachevées, les perches à ignames, la savane, les boqueteaux de manguiers.

Malgré l'opacité de la nuit, il retrouva sans peine le lolo[2] de Mignonnette.

Sitôt qu'il eut gratté à la porte, une lourde masse se remua, le plancher gémit, la lueur d'un sébi filtra et une imposante silhouette se découpa à l'emplacement du vantail.

1. La nuit, tu ne restes pas en place.
2. Petite boutique.

196

– Bonsoir, mon Tim-Tim !

– Bonsoir, mon pain doux sucré ! Les ti-mounes sont bien ?

– Ils ont pris sommeil.

– Ta pensionnaire ?

– Elle est dans la pièce de réception ; elle a beaucoup pleuré.

– J'ai des choses urgentes à lui dire.

Avec une prestesse inattendue, Mignonnette dégagea l'entrée, et, de ce fait, vers la couche installée au pied de la desserte, détala Marie-Socrate, à qui tenait lieu de chemise de nuit un tricot de corps de garçonnet.

Cambronne Mâcheclair avait pour principe que, si un visage n'est pas exempt de tromperie, un bonda est toujours sincère. Ce qu'il entrevit, outre sa jolie teinte abricotée, lui parut plein de vie et de primesaut, joueur, gourmand, peu rigide en sa morale, mais sans méchanceté.

Marie-Socrate s'était recouchée, son drap tiré jusqu'au menton. Cambronne Mâcheclair vint s'asseoir en tailleur auprès d'elle, tandis que Mignonnette s'expatriait dans la pièce du fond, d'où parvenaient les ronflements juvéniles de Murat et Olga.

– Papa Tim-Tim, vous avez du nouveau ?

Quelque pitié que lui inspirât le pauvre petit visage anxieux, Cambronne Mâcheclair fut très discret sur son enquête. Ce n'était pas qu'il se méfiât de sa protégée, ou qu'il craignît de lui donner des espoirs bientôt démentis, ou qu'il lui en voulût inconsciemment du mauvais sang qu'il se faisait pour elle. Par contre, n'était-ce pas, encore plus à son insu, par jalousie du coolie de Coquille-Rouge ?

Toujours est-il qu'après un silence, il chuchota :

– Ramshaye...

197

Elle réprima un cri.

– Ils l'ont arrêté ?

– Cela ne vaut guère mieux : il s'est sauvé !

Elle prit un air hostile.

– C'est votre faute ! Si je ne m'étais pas cachée...

– Tu serais à la geôle.

Elle se mit à sangloter.

Cambronne Mâcheclair se sentit fondre.

– Vié tite fille, qui n'a pas confiance dans son Papa Tim-Tim !

Il posa une main encourageante sur une des ravissantes épaules qu'à chaque respiration le drap moulait, puis descendit vers la hanche, lutta contre la tentation de la caresser à pleine paume, jugea plus correct de la tapoter amicalement.

Il reprit :

– Ton Papa Tim-Tim qui voudrait tellement être sûr de toi...

Elle sursauta.

– Vous me croyez encore coupable ?

– Du crime, non. De complicité active, non. Mais il y a des moments où je me demande si tu n'as pas reconnu au moins un des trois guiables de l'Îlet !

– Tibor, autrement.

– À dire vrai...

– Je vous jure...

– Qu'il se soit enfui, j'admets : il y a d'honnêtes mounes qui ont peur rien que de voir Commissaire-là entrer chez eux. Mais qu'on ne l'ait pas retrouvé, c'est louche ; cela veut dire qu'il avait combiné sa fuite depuis longtemps.

Pour donner plus de poids à ses paroles, il s'était penché sur elle ; elle s'agrippa à son cou.

– Papa Tim-Tim, je me rappelle... Il m'avait dit de ne pas m'inquiéter pour lui s'il se produisait des événements politiques... Qu'il ne se laisserait pas arrêter... Qu'il avait une cachette tout à fait sûre et qu'il savait comment y aller à la barbe des gardes-caca...

– Une cachette où ?

– Je ne sais pas, Papa Tim-Tim.

Il eut un doute, mais les petites mains chaudes et moites et douces qui s'enfonçaient dans les bourrelets de sa nuque lui ôtèrent toute envie de discuter.

Son souffle s'accéléra.

Sa bouche se rapprochait dangereusement de celle de Marie-Socrate, qui ne se dérobait pas, quand il entendit, dans la pièce voisine, gémir le plancher sous les pas de Mignonnette.

Il reprit une distance convenable, laissant juste ses gros doigts jouer dans la souple chevelure.

Soudain, caressant un clip :

– C'est de l'or ?

– Oh non, Papa Tim-Tim ! Tous les bijoux que Monsieur Hama m'avait offerts, Commissaire-là les a mis sous scellés.

– Puisqu'ils ne valent rien, tes clips, prête-les-moi donc !

– C'est que...

– Quoi, tite fille ?

– C'est tout ce qui me reste de Tibor !

Cette provenance détermina Cambronne Mâcheclair à insister, d'une voix fallacieusement neutre :

– Ban-mouin quand même, j'en ai besoin.

– Pour qui ?

(Une question bien prompte.)

– Je te dirai... Alors, tu prêtes ?

À regret, mais gracieusement, elle lui tendit les clips. Il se précipita vers la pièce du fond.

– Mignonnette, ma ché, ban mouin, s'il te plaît, on tite boîte à bijoux et on papier de soie !

16

Elles ont une démarche harmonieuse,
elles sont gaies et tendres.

Georges PILLEMENT.

Avec l'air d'un chat abordant son plat de cendre, Renélia inspecta le paquet que lui tendait Cambronne Mâcheclair.

– Hein ! hein ! Papa Tim-Tim, le bijoutier à ou, il doit rester près de la darse !

– ... ?

– Là où il y a les lavabos publics !

– ... ?

– Puisqu'il enveloppe sa marchandise dans du papier-kiou !

Tel était en effet (la plus belle fille du monde...) l'emballage fourni par Mignonnette.

– Et, en plus, il achète ses écrins à la S.E.I.T.A. !

Mignonnette ne pouvait offrir que ce qu'elle avait : une boîte d'allumettes.

Enfin, les clips de Marie-Socrate apparurent.

200

– Hein ! hein ! c'est de l'or ?

– Cela n'en a pas l'air ?

– Je ne vois pas le poinçon !

– Évidemment ! c'est de l'or de Guyane...

Elle attacha les clips à ses oreilles.

– Merci tout de même !

Sans insister :

– Tu attends la fermeture ?

Il prit son air affairé.

– Excuse-moi ! ma journée n'est pas finie.

D'acide, elle devint glaciale.

– Bonsoir, mon ché ! merci encore.

Il essaya de mettre du liant :

– Commissaire-là... il ne t'a rien dit de nouveau ?

Elle eut son mauvais sourire.

– Si ! il m'a conseillé de ne pas trop te fréquenter.

– Peut-on savoir... ?

– Parce que, d'après lui, en plus d'un débauché, tu serais un avaricieux !

17

Et ce libertinage des Blancs avec les Négresses est la source d'une infinité de crimes.

Le Père LABAT.

— Te voilà, sacré caïman ! pas trop tôt !

Ayant attrait jusqu'au guéridon central l'une des dix-huit chaises rituellement disposées en ovale, Chicotte-l'Alambic, avachi, incongrûment déboutonné, tuait le temps en face d'une bouteille de rhum presque vidée.

Cambronne Mâcheclair se força à l'hospitalité.

— Bonsoir, Monsieur Chicotte... C'est ma ménagère qui vous a reçu ?

— Et servi ! éructa Chicotte.

Il eut un clin d'œil mi-éthylique, mi-coquin.

— Très complaisante, cette petite !

Il se mit debout mollement, comme hissé par un invisible palan.

— Je serai bref... hep ! Je comptais te voir aux

deuxièmes... hep! obsèques du pauvre Fêt.-Nat.,
mais... hep! sans doute que Monsieur avait mieux à
faire. Donc... hep! je suis venu te relancer à domicile
pour avoir des... hep! nouvelles.

– Des nouvelles de qui? de quoi? Monsieur
Chicotte... balbutia Cambronne Mâcheclair avec un
complexe de culpabilité.

– Mais des... hep! caïmans qui m'ont volé mon
canot!

Cambronne Mâcheclair se ressaisit.

– Je m'en occupe, Monsieur Chicotte! Très active-
ment, Monsieur Chicotte! Mais je ne possède encore
que des indices dont il faut attendre confirmation...

– Indices... hep! lesquels?

– Secret de l'instruction, Monsieur Chicotte!

L'imbibé sortit, froissé.

Également mécontent, mais pour d'autres raisons,
Cambronne Mâcheclair s'en fut vers la chambre de
Cerisette en débouclant son ceinturon.

QUATRIÈME JOURNÉE
(mercredi 6 juin 195...)

1

Gnon jène homme fiscal qui té billé faraud... [1]

BAUDOT.

Après la messe de 6 heures, Cambronne Mâche-clair se rendit chez le Père. Le trouvant en train de fourrager sous le capot de sa 2 CV, il demanda timidement :

– Encore votre batterie, Père ?

– De nouveau à plat ! Mais, cette fois, tu n'y es pour rien : c'est le disjoncteur qui s'est mis à cafouiller. Qu'est-ce qui me vaut l'honneur de ta visite ?

– Père, je venais m'excuser de ne pas avoir assisté aux secondes obsèques de Fêt.-Nat. J'enquêtais à La Pointe...

– Ça s'avance ?

– Piacam-piacam, Père. Jugez plutôt...

---

1. Un jeune homme superbe qui était habillé fièrement...

Et il raconta sa journée de la veille – en omettant toutefois sa visite à la petite fille abricot.

– Ma parole ! dit le Père ; tu n'avais jamais autant travaillé en service commandé !

– C'est le tempérament créole, Père... De votre côté, vous n'avez rien appris de neuf ?

– Juste un détail : à la fin de ma seconde oraison funèbre fêt.-natienne, j'ai adjuré la population de communiquer aux enquêteurs ou à moi-même tous détails susceptibles de faire arrêter les auteurs d'une exhumation aussi sacrilège...

– Et aussi du meurtre de M. Hama, Père !

– Accessoirement, oui... Eh bien, cela m'a valu la visite de cet ignoble fruit sec macéré dans l'alcool...

– Monsieur Chicotte, Père !

– Soi-même ! Et tu ne sais pas ce qu'il m'a raconté ? Que la jaquette et le pantalon rayé de Fêt.-Nat. lui appartenaient, à lui Chicotte !

– Mais alors, Père...

– Ne t'emballe pas ! Ce sont des frusques qu'il n'avait pas mises depuis des années et qu'il a retrouvées récemment dans son coffre. La naphtaline les avait préservées des ravets, mais elles étaient couvertes de moisi. Il les a donc lavées lui-même et les a mises sécher sur un fil tendu entre deux filaos. Le rhum aidant, il n'y a plus pensé pendant plusieurs jours. Quand son étendage lui est revenu en mémoire, plus de jaquette ! plus de pantalon !

– Ce qui m'étonne, Père, c'est que, hier aussi, Monsieur Chicotte est venu me voir et qu'il ne m'a pas parlé de cette histoire de vêtements !

– Hier à quelle heure ?

– Un peu avant minuit, Père.

– Il devait être soûl.

2

L'heu ou pa ka mangé saloperie, ou pas k'aillé en noce à Gligli. [1]
ZAGAYA, Proverbes créoles.

Au bar du Grand Hôtel, derrière dix mètres de mahogani, officiait une hiératique chabine.

Ces personnes blondes passant pour sourcilleuses, Cambronne Mâcheclair adopta un ton, selon lui, mondain.

– Mes hommages, tite fille. Excusez l'importunité ! Mon ami Monsieur le Juge d'Instruction m'a chargé, en quelque sorte, d'une commission...

Elle fronça les sourcils, tout en se cambrant sous sa veste blanche.

– Hein ! hein ! Une commission pour moi ?

– Une commission rogatoire. Il m'incombe de reconstituer l'emploi du temps de certaines per-

1. Si tu ne veux pas manger de saletés, tu ne vas pas à la noce du gligli (sorte d'épervier peu délicat sur la nourriture).

sonnes au cours du bal de mariage de l'infortuné Monsieur Hama. Mon excellent collègue le Commissaire Glandor vous a peut-être déjà entendue à ce sujet ?

Elle fit signe que non.

Il eut un hochement de tête compatissant.

— Bien sûr ! Tant de dossiers ! Tant d'objets saisis à protéger contre les voleurs ! Tant de renseignements à fournir à Monsieur le Sénateur et, au besoin, à Monsieur le Préfet ! Comment faire du travail soigné ? J'aurai donc la primeur de vos déclarations...

Elle leva un regard de martyr vers l'image d'Épinal en forme de fresque, qui, surplombant le bar sur toute sa longueur, disait la perplexité des avant-derniers Caraïbes à l'approche de leur première caravelle.

— Ce bal, reprit Cambronne Mâcheclair, avait bien lieu ici ?

— Oui.

— C'est vous qui teniez le bar ?

— Naturellement.

— C'était beaucoup de travail ?

— Bien moins qu'il ne paraît. La plupart des invités se punchaient au champagne ; ils ne dépendaient pas de moi, mais des serveurs – c'est-à-dire : les deux garçons du restaurant, plus un aide-cuisinier.

— La caissière était dans la salle ?

— Elle s'était installée devant la chambre froide. Pour compter les bouteilles qui défilaient.

— Il y avait une dame pour le vestiaire ? une pour les toilettes ?

— Oui.

— Un orchestre ?

— Un fameux ! Jess Hialmar et ses six musiciens. Ils ont joué jusqu'à la Marseillaise du matin.

– Vous avez vu s'en aller les mariés ?

– Oui. Monsieur Habib était avec eux.

– Vous le connaissez, ce Habib ?

– Il vient souvent ici.

– Il boit beaucoup ?

– Mais il ne prend que du whisky ; ça ne fait pas de mal.

– À quelle heure est-il parti avec les mariés ?

– Vers les minuit.

– Est-il revenu ensuite ?

– Une bonne heure plus tard. Tout le monde lui demandait où il avait emmené les tourtereaux ; il ne voulait pas le dire ; il s'est presque fâché.

– Il est resté jusqu'à la fin du bal ?

– Il est reparti vers les 2 heures.

– Quels sont les autres mounes qui sont partis avant la fin ?

– Il y a eu Mademoiselle Gastonia, la vendeuse vedette de Monsieur Tartous... à peu près en même temps que Monsieur Habib.

– Ils sont sortis ensemble ?

– Je ne crois pas ; mais ils se sont suivis de très peu... À part ces deux-là, il y a Maître Sucrier. Je l'ai vu filer à l'anglaise par le petit escalier là qui donne directement sur le parking. La personne du vestiaire m'a dit qu'il n'avait pas repris son chapeau ; un chapeau très reconnaissable : c'est le plus gondolé de La Pointe !

– Quelle heure était-il ?

– Entre une et deux... Quant à Monsieur Campobasso, le marchand de tissus et de salaisons, je ne l'ai pas vu partir, mais les plongeurs m'ont dit qu'il avait traversé les cuisines avec un air bizarre et qu'il avait gagné la rue par la porte de service.

– À part ces mounes-là ?

– Tous les autres sont restés jusqu'à six heures.
– Même ceux qui ne dansaient pas ?
– Ils voulaient tous ingurgiter le plus de champagne possible.

3

Au négociant le porche sur la mer...
SAINT-JOHN PERSE.

Cambronne Mâcheclair freina sec, cala sa mobylette contre le trottoir, se glissa dans l'Église Saint-
Jules tout en jetant un rapide coup d'œil par-dessus
son épaule. Il n'entrait dans ses intentions ni de faire
oraison à Saint-Expédit, spécialiste des solutions
d'urgence, ni, depuis l'ombre poussiéreuse de la
vieille nef en bois, de contempler la perspective dis-
parate du faubourg Frébault – pêle-mêle de gratte-ciel
uniformément gris et de cases dont les toits de tôle
ondulée étaient d'un rouge évoquant à la fois le
minium et la rouille. Tout bonnement, il avait eu
l'impression qu'on le filait.

Avait-il été trop tardif à regarder ? Il ne découvrit
rien qui s'apparentât au Commissaire Glandor ou à
l'un de ses sous-fifres.

Vainement encore, il scruta les alentours de
l'église, puis ceux du cinéma « Le Plazza » – tout en

feignant de méditer sur les blanches rondeurs affichées de Rita, Marilyn, Martine & Cie.

Quand, peu après, il atteignit l'extrémité nord-ouest des quais, un soupir lui échappa : que de boutiques et de dépôts à visiter, les uns tapis au rez-de-chaussée de maisons de bois aux balcons branlants, les autres lancés à l'escalade de récents édifices « en dur » avec toits anticyclones ! Et impossible d'en négliger le moindre recoin, chaque commerçant prétendant à l'omnicompétence et faisant fraterniser, à la même tringle, les saucissons secs et les rouleaux de fil de fer barbelé !

Dockers allant et venant en double procession entre le quai et la coupée des cargos, camionneurs et ripeurs attendant le client, porteurs recroquevillés sous les bagages, douaniers, matelots, traînards, traînardes, toute l'humanité grouillante du port cuisait dans son jus à l'ombre filiforme des grues et, loin d'apporter quelque fraîcheur, la mer lourde et moirée de mazout se contentait d'ajouter un remugle d'égout aux relents de calfat, de coprah et d'aisselle.

Le premier marchand interrogé, vieux mulâtre cérémonieux aux moustaches à la hongroise, siégeant en face d'une montagne de sucre brut dans laquelle taillaient les pelleteuses et gambadaient les chiens, n'apprit rien à Cambronne Mâcheclair mais ne fit aucune difficulté pour prendre sa mobylette en garde.

Le septième, un « blanc-pays » dégingandé, blond, aux yeux clairs, dont les fenêtres dominaient une mosaïque de bidons de butane, déclara, d'une voix nonchalante mais sans réplique, que, seul, M. Ahmed Driss, précédemment inscrit par erreur au registre du commerce, pouvait s'abaisser à détailler un article aussi peu relevé que de la ficelle à sept brins.

Le treizième, un « béké neuf », ancien coq sur la

Jeanne, spolié d'horizons marins, voire simplement portuaires, par une muraille cyclopéenne de containers, reconnut, avec un mélange d'accents parigot et créole, être importateur exclusif des œufs de l'Ermitage de Maulette. « À qui je les vends ? Mais aux épicemards les plus selects de La Pointe et autres lieux ! Lesquels ? Ça, mon petit père, il faudrait que j'épluche tous mes doubles de factures ! Et puis, y a pas que les bouticaillons, y a les collectivités : l'hôpital général, le lycée, les collèges, les cantines, celle des gabelous en premier ! Y a aussi les particuliers, les haut placés : plus ils sont riches, plus ils seraient furax si je leur vendais pas en demi-gros ! Maître Sucrier, par exemple... Si on peut retrouver les clients d'après les chiffres compostés sur les caisses ? Tu me prends pour le service des cartes grises ! Les épicecaillons, tu y reviens... Dis-moi des noms, petit père, je te dirai si ça me dit quelque chose ! Campobasso ? Pan dans le mille ! C'est un de mes clients. »

À sa vingt-neuvième visite, Cambronne Mâcheclair se trouva devant un imposant Flamand, d'un roux blanchissant, qui, insensible au spectacle des transatlantiques relâchant sous ses verrières, n'avait d'yeux que pour les bouteilles de bière néerlandaise qu'avec des gestes mécaniques, il cueillait dans un réfrigérateur habillé de teck, vidait à la régalade, posait sans bruit dans sa corbeille à papiers. « Les litres à double fermeture », dit-il, « ça est une nouveauté qui m'avait paru intéressante, mais, ici, savez-vous, ça a fait plutôt un ratage. D'abord, parce que, quand on reçoit, il est plus poli que chaque invité ait ses bouteilles bien à lui. Et puis, surtout, parce que les regrattiers aiment mieux vendre des 25 centilitres qui leur rapportent davantage. Donc, savez-vous, mes malheureuses canettes d'un litre, je n'ai pu en caser que chez deux épiciers de La Pointe, Campêche et Campobasso, un de Basse-Terre, Beaupoil, et un de Coquille-Rouge, Érepmoc. Quant aux clients directs, le seul qui ait bien voulu m'en acheter, c'est un Syrien – le frère, savez-vous, de celui qui s'est fait assassiner sur l'Îlet de Père-Labat ».

4

Qui n'a rien, ou presque rien, s'efforce encore de participer à cet universel négoce.

Eugène REVERT.

– Monsieur Driss, bonjour. Tini ou ficelle à sept brins ? du six millimètres ?

S'étant juché sur l'unique chaise de son magasin presque vide, le viking miniature décrocha d'une longue tringle en voie de désertification un grand anneau de fer auquel pendait un peloton de corde.

Cambronne Mâcheclair feignit un extrême contentement.

– Mes amis ! Depuis le temps que j'en cherche...

Ahmed Driss eut son sourire triste et gentil.

– Il n'y a plus que moi pour en vendre, et si peu ! C'est une marchandise qui se meurt, le vrai septain de chanvre. Ce que le client veut maintenant, c'est du sisal (le bon marché) ou du nylon (on le croit inusable !). Dans quel but emploierait-on encore le cher

215

vieux septain ? Pour amarrer un canot ou un cochon ou les poids d'une pendule ou ceux d'un phare ? J'ai même été bien surpris quand Mlle Gastonia m'en a acheté.

– Gastonia ?

– La vendeuse de ce... de mon défunt ami Tartous.

– Elle en a acheté souvent ?

– Quatre ou cinq fois.

– Quand, la première fois ?

– Il y a deux-trois ans.

– La dernière ?

– Il y a une semaine environ. Cela faisait bien deux mois qu'elle m'en avait demandé, mais j'ai eu une rupture de stock. Un colis qui a disparu, peut-être sur les quais, peut-être à l'Octroi de Mer...

– Que faisait-elle de son septain, Mademoiselle Gastonia ?

– Elle ne me l'a pas dit. D'ailleurs...

– D'ailleurs ?

– D'ailleurs, je ne le lui avais pas demandé.

– Avez-vous cédé du septain à d'autres clients ?

– Pas depuis l'année dernière. J'en avais alors fourni à un douanier qui voulait pêcher le gros. Je dis « un douanier » parce qu'il était en uniforme, mais c'est tout ce que je me rappelle de lui.

– Vous le reconnaîtriez ?

– Je n'ai pas la mémoire des têtes.

– Quels acheteurs encore ?

– Personne, à part l'Administration des Phares-et-Balises. Six pelotes. Elles m'ont été réglées sur mémoire en triple exemplaire, mais c'est un simple gardien de phare qui les avait emportées.

– Et, naturellement, vous ignorez tout de lui ?

– Je sais uniquement qu'il travaille à Père-Labat.

Cambronne Mâcheclair remit à plus tard l'étude

exhaustive d'une piste dont le seul aperçu offensait son sens de l'amitié. Ce n'en est pas moins d'une voix mal raffermie qu'il demanda :

– Vendez-vous des œufs ?

– Non. Les dockers en cassent trop.

– Pas de bière en litres ?

– De la bibine !

– Il en existe qui sont d'aussi bonne qualité qu'en petites bouteilles...

– Peut-être, mais, pour les clients, c'est de la bière de ménage. La preuve est que ça ne les soûle même pas !

– Vendez-vous des bougies ?

– Pour les anniversaires ou pour les pannes de courant ?

– Des ordinaires.

– J'en avais avant... quand... quand les fournisseurs étaient plus accommodants. À propos, le septain, vous en désirez combien de pelotes ?

– Vous semblez n'en avoir qu'une en magasin...

Ahmed Driss cligna de l'œil.

– Je ne garde ici qu'un échantillonnage...

(Par précaution contre les saisies ! pensa Cambronne Mâcheclair.)

« Mais revenez dans un ti quart d'heure, je vous procurerai tout ce que vous voulez ! Vous avez dit combien de pelotes ?

– Euh... Deux.

– Et avec ça ? Vêtements, sous-vêtements, chaussures, chaussettes, linge de maison, nylon de Porto-Rico, soie naturelle de Hong Kong, cigarettes américaines, absinthe espagnole, whisky de Saint-Bart[1] ?

– Merci. Une autre fois. Quand j'aurai vendu mes cannes...

1. St-Barthélemy, dépendance de la Guadeloupe et port franc.

5

*Pendant longtemps, la population des
Antilles, comme il a été dit plus haut,
n'a pu se maintenir ou augmenter que
grâce à une immigration constante.*

Eugène REVERT.

Bordée sur chaque flanc par un ruban de terrain
non bâti, mi-savane, mi-décharge sauvage, la maison
de bois de Galeazzo Campobasso paraissait d'autant
plus étroite et vétuste qu'à côté d'elle, insolemment
neuve, se dressait sur ses piliers mycéniens, se carrait
dans ses encorbellements la forteresse de béton armé
édifiée par le regretté Tartous Hama après qu'il eut
perdu tout espoir d'élargir sa parcelle.

Les affaires du vieux bossu coiffé d'ouate blanche
ne devaient pas encore être en passe de se rétablir,
car son magasin était vide de vendeurs, vide d'acheteurs et, là aussi, les marchandises étaient clairse-
mées.

— Je voudrais, dit Cambronne Mâcheclair, des

œufs de métropole, de la corde à sept brins, des bougies pour pannes d'électricité et de la bière au litre, mais de la vraie bonne bière à cinq degrés et non point du thé froid.

Campobasso lui présenta la seule de ces marchandises qu'il détînt : une boîte de six œufs de l'Ermitage de Maulette, portant la mention : *À consommer avant le 8 juin 195...*

– Compte tenu de la chaleur actuelle, remarqua Cambronne Mâcheclair, cette date limite paraît un peu rapprochée !

Campobasso prit un air outragé.

– Dans mon armoire frigorifique, Signor, je puis les garder six mois sans danger. Ces délais préfix ont été édictés à une époque où il n'existait que les garde-manger croupissant dans la fraîcheur relative des caves, et c'est par un coup de force renouvelé de jour en jour que les gouvernements qui se sont succédé depuis lors ont délibérément omis d'harmoniser la réglementation avec les méthodes modernes de conservation des aliments. Je l'affirme et je le démontre : depuis des années, je solde mes œufs soi-disant périmés à des lolos de campagne et, jamais jusqu'à ce jour, un de leurs clients ne les a accusés de leur avoir donné la « va vite »[1] ! Vous pouvez vous renseigner à Grosse-Montagne, à Castel, à Baie-Mahault, à Bains Jaunes, à Camp-Jacob, à Père-Labat...

Cambronne Mâcheclair tiqua en entendant mentionner sa commune, mais il estima que le plus urgent était d'attiser encore un peu la loquacité subversive de Campobasso.

– Il faut avouer, dit-il sentencieusement, que, parfois, le gouvernement de la République paraît se

1. Colique.

complaire à nous accabler de contraintes purement vexatoires.

Comme prévu, Campobasso s'enflamma.

– Oui, comme le Prophète de Saint-Céré[1] l'a clamé dans le désert, le petit commerce est tyrannisé par une Administration, non pas aveugle mais, ô combien, clairvoyante ! Elle se fait plaisir ! elle est sadique !

– À ce point ?

– Les indirectes, les directes, l'enregistrement, le contrôle des prix, la police de la circulation, les tribunaux, les entreprises nationalisées, les banques, l'armée, tout cela est organisé, programmé, synchronisé pour nous asservir, nous briser, nous écraser, nous laminer, nous prendre tout – sauf, hélas ! notre dernier souffle de vie.

– Cependant...

– Et ceux qui nous persécutent ainsi sont ceux-là même qui, avec une mauvaise foi insigne, ont traité de tyrans sanguinaires les purs socialistes qu'étaient le Duce et le Führer !

– Vous croyez ?

– Et, vous autres, Antillais, ne vous sentez-vous pas colonisés par les odieux vainqueurs de 1945, comme se sentent mes frères de Tende, de Brigue, de Chambéry, de Nice, de Tripoli, d'Asmara, d'Addis-Abeba ? La pseudo-démocratie italienne n'ose pas vous protéger de son aile déplumée, mais nous sommes quelques-uns, des vieux durs à cuire, qui, de Key West aux Malouines, vous aiderons à vous libérer et à vous fédérer sous l'égide d'une grande république sud-américaine dont je ne puis encore révéler le nom mais qui est d'ores et déjà prête à envoyer ses

1. Pierre Poujade, fondateur de l'Union de défense des commerçants et artisans.

héroïques canonnières bombarder le fort Napoléon, raser le fort Fleur-de-l'Épée, couler la Jeanne et, s'il le faut, l'Île d'Émeraude, cette infâme péniche de débarquement, francisée par un juge bolchevique, qui, chaque jour, file son répugnant lien d'esclavage entre notre ville occupée et sa succursale Marie-Galante ! Voici un bulletin d'adhésion, vous avez confiance, vous allez le signer les yeux fermés, et bientôt, m'entendant vous crier *Avanti,* vous me répondrez...

Après avoir évoqué muettement la parole la plus historique de son saint patron et pris l'expression d'un électeur trop nourri d'éloquence, Cambronne Mâcheclair demanda à brûle-pourpoint :

– Vous étiez bien au bal de mariage de M. Hama ?

Le tribun Campobasso sentit les plis de sa toge retomber à plat.

Il balbutia :

– C'est vrai, mais quelle importance ? Monsieur Hama n'appartenait pas, heureusement, à notre conjuration.

– Ce bal, vous en êtes parti avant la fin ?

– Vers 2 heures du matin.

– Puis-je savoir pourquoi ?

– Je n'ai rien à cacher, ma vie et mon cœur sont un livre ouvert... Tout bêtement, j'avais faim, un urgent besoin de pasta, et il n'y en avait pas au buffet ! Je suis d'abord passé par les cuisines, n'imaginant pas que dans un palace on pût ignorer la plus précieuse découverte de mon éminentissime compatriote Marco Polo... Hélas, les feux étaient éteints et il ne me restait plus qu'à regagner mes pénates !

– Combien vous dois-je pour les œufs ?

– Trente francs.

– Tout rond ?

– Ignoreriez-vous qu'il ne se trouve plus de monnaie divisionnaire ? Tous les prix se terminent maintenant par zéro ou par cinq.

– Vous ne voyez plus passer de petites pièces ?

– Pas depuis plusieurs années.

– Vous en avez bien gardé quelques-unes ?

– Aucune.

– Dommage ! Elles vont prendre de la valeur. Sur
ce...

– Au revoir, Signor... Pardon ! pas encore !
momento ! Votre adhésion ?

Cambronne Mâcheclair fut tenté de refuser. Mais,
les yeux du vieux condottière amorçant une fulgura-
tion, il signa.

D'un faux nom.

Qui pis est, d'une anagramme : Edrem Arilika.

6

*Comme des lames de fond on tire aux
magasins de grandes feuilles souples de
métal : arides, frémissantes et qui
versent, capté, tout un versant du ciel.*
                                      SAINT-JOHN PERSE.

Aux toiles de Damas.

Tout au long de la devanture, un store de toile
argentée projetait sur le trottoir une ombre tentatrice.
Cambronne Mâcheclair s'y planta, l'œil rivé sur les
étalages où des mannequins à la dernière mode, donc
déteints et scalpés, tâchaient à présenter des vêtements féminins, abstraction faite de leur contenu.
Enfin, midi ayant sonné, quelques vendeuses sortirent – dont celle qu'il attendait : la liane aux jolis
fruits ronds.

– Mademoiselle Gastonia ?

Elle eut un sourire hautain.

– Monsieur désire... ?

Cambronne Mâcheclair prit l'air à la fois important et bienveillant qui lui avait réussi avec la chabine du Grand Hôtel.

– Belle demoiselle, la seule excuse de mon importunité est que Monsieur le Juge d'Instruction et Monsieur le Procureur de la République par intérim m'ont délégué pour une enquête dans le cadre de laquelle il est possible que vous puissiez me fournir d'intéressantes indications.

– De quoi s'agit-il ?

– Il me serait difficile de vous l'expliquer sur la voie publique. Voulez-vous que nous nous retrouvions vers 12 h 30 à La Cocoteraie ?

– Je ne pense pas...

– Ou, ce tantôt, au tribunal ?

– D'accord pour La Cocoteraie.

– Dans vingt minutes ?

– D'accord, je vous ai dit ! À tout à l'heure.

Elle prit le départ, en jouant des hanches.

Il la rappela :

– Un mot encore : Monsieur Habib...

Elle eut un mauvais regard et ses lèvres se froncèrent, découvrant de jolies dents carnassières.

– Qu'est-ce que vous lui voulez ?

Il eut un gros rire passe-partout.

– Vous aurez toute latitude de le lui demander cet après-midi.

Et il s'engouffra dans le magasin.

– Monsieur Habib Hama ?

– Oui, c'est moi.

Comme la veille, le frère de la victime avait ce physique de noceur prématurément usé. Avec moins de sincérité que de hargne, il regarda Cambronne Mâcheclair dans les yeux.

– Et vous, qui êtes-vous ?

De nouveau, Cambronne Mâcheclair se présenta comme enquêteur officiel.

– Très honoré, dit Habib sur un ton indifférent.

Mais son apathie résista mal à l'interrogatoire qui suivit :

– Vous avez bien amené le jeune ménage sur l'Îlet de Père-Labat au moyen de votre canot ?

– Exactement.

– Où ce canot était-il amarré ?

– Au club nautique.

– Vous y êtes allé en automobile ?

– Naturellement.

– Avez-vous eu l'impression qu'on vous suivait ?

– Nullement.

– Auriez-vous pu être suivi à votre insu ?

– Difficilement. Comme, généralement, le départ des mariés constitue pour les jeunes un prétexte à jeu de piste, j'ai, à de nombreuses reprises, regardé dans mes rétroviseurs.

– Et entre le club et l'Îlet... ?

– Pour nous suivre, il aurait fallu un bateau, et je l'aurais remarqué !

– Avez-vous accompagné vos passagers jusqu'au pavillon du gardien ?

– Indubitablement.

– Vous n'avez rien remarqué de suspect ?

– Aucunement.

– Vers quelle heure êtes-vous revenu au Grand Hôtel ?

– Il pouvait être 1 heure.

– Et vous y êtes resté jusqu'à... ?

– Jusqu'à la fin du bal.

Cambronne Mâcheclair leva un index réprobateur.

– D'après les témoins, vous avez quitté l'assemblée vers 2 heures – en compagnie de Mademoiselle Gastonia !

Pour la première fois, Habib baissa les yeux.

225

– Bien sûr ! Suis-je étourdi ! Elle était lasse, elle avait peur de rentrer toute seule, elle m'a demandé de la reconduire, je ne pouvais pas refuser.

– Et ensuite... ?

– Je suis allé dormir.

– Seul ?

– Cela m'arrive !

Cambronne Mâcheclair consulta sa montre.

– Il est presque 12 h 30. Veuillez m'excuser...

Le regard de Habib se fit câlin.

– Une seconde ! attendez une tite seconde ! Je veux que vous emportiez un bon souvenir de votre visite.

Le play-boy en fin de carrière plongea dans les profondeurs du magasin et en rapporta un imposant carillon Westminster qu'il offrit à Cambronne Mâcheclair.

7

Son corps lumineusement obscur s'organise docilement au commandement du nombril.

Aimé CÉSAIRE.

Pour accéder à La Cocoteraie, il fallait gravir deux ou trois marches, dont Cambronne Mâcheclair avait apprécié l'utilité un jour où l'orage transformait chaussées et trottoirs en torrents dangereux, sinon pour les vies, du moins pour les vêtements. En haut de cet escalier secourable, une fois franchi un store en perles de bambou, on baignait dans une pénombre rafraîchie de courants d'air. Quand ses yeux se furent accoutumés, Cambronne Mâcheclair découvrit Gastonia attablée devant un Martini-gin. Il la salua cérémonieusement, s'assit en face d'elle, déposa son carillon sur une chaise voisine.

– Cinq minutes de retard, lâcha-t-elle d'un ton acide, ce serait déjà beaucoup pour un jeune homme !

– Mais la Justice, ronronna-t-il, dispose au moins du quart d'heure guadeloupéen !

Il se commanda un vieux-pruneau, fit renouveler la consommation de Gastonia, puis :

– Vous avez été la bonne amie de feu M. Tartous...

Elle montra les dents tout en faisant saillir sa poitrine.

– J'étais libre, majeure et vaccinée.

– Quand votre... roman a-t-il commencé ?

– Il y a un peu plus de deux ans.

– Et il a pris fin... ?

– Vendredi dernier.

– Vous saviez bien depuis un certain temps que M. Tartous allait se marier... ?

– Mais, comme une imbécile, j'avais cru qu'on continuerait à... à rester bons compès !

– Et vous vous en seriez accommodée !

Elle lui jeta un regard meurtrier et rétracta ses longs doigts aux ongles lancéolés, comme si elle allait griffer.

– Il ne vous est jamais arrivé, gronda-t-elle, de faire votre marché avec plusieurs sacs à provisions ? un par ménage ?

Puis, déguisant son exaspération en lassitude :

– Est-ce que cela va durer encore longtemps ?

Cambronne Mâcheclair feignit l'incompréhension :

– Quoi donc, belle demoiselle ?

Elle se mit à glapir :

– Cet interrogatoire, pardi ! Je reprends mon travail à 3 heures et je voudrais bien ne pas avoir à le faire l'estomac creux...

Ayant ouï dire qu'un fauve repu perd de son agressivité, Cambronne Mâcheclair invita la douce enfant à déjeuner chez Lacfodia ; elle accepta maussadement.

La salle, au premier étage, était déserte, tiède et poussiéreuse. Aussi, après avoir allongé son horloge british sur une table non dressée, Cambronne Mâche-clair entraîna-t-il Gastonia sur le balcon, certes un peu branlant, mais auquel des parasols neufs donnaient un air de propreté et de fraîcheur. En attendant les burgaux au court-bouillon créole et les steaks de tortue marine qu'ils avaient commandés, ils restèrent silencieux, occupant leurs regards à dénombrer sur la place du marché les chiens errants qui glanaient les détritus autour des étals vides.

Le premier plat arriva enfin.

Tout en dégustant ses coquillages avec des gestes de lady, Gastonia ne cessa d'épier son vis-à-vis entre ses paupières presque closes, et celui-ci se fit l'impression d'être un gros oiseau aptère guetté par une chatte plus joueuse qu'affamée. « Attends un peu, ma belle », pensa-t-il, « que j'aie l'analyse du cocktail que tu voulais faire ingurgiter au pauvre Tartous ! Tu feras peut-être moins la maligne ! » Il en sourit d'avance, et, tout en sauçant ses restes de pain, il demanda avec sollicitude :

— Malgré votre déception, vous êtes allée au mariage de Monsieur Tartous ?

Elle haussa les épaules.

— Je l'ai pris comme une obligation professionnelle !

— Vous êtes même allée au bal ?

— Dans le même esprit.

— Vous y êtes restée jusqu'à... ?

— Jusqu'à 2 heures.

— Et ensuite ?

— Je ne me sentais pas le courage de rentrer à pied. J'ai demandé à Monsieur Habib s'il voulait bien me reconduire. Le champagne m'avait donné mal à la tête. Lui, la solitude lui pesait. Il m'a donc proposé une promenade au clair de lune sur les Hauteurs de la Lézarde. Et...

Elle s'accorda le temps d'un gloussement sensuel, puis :

– Et, de fil en aiguille, nous ne sommes revenus à La Pointe que vers les 6 heures.

Cambronne Mâcheclair ne fit aucun commentaire, mais son regard s'alluma et ses lèvres esquissèrent un lappement.

Refoulant ses instincts primitifs, il demanda :

– Au cours du mariage, avez-vous remarqué quelque chose d'anormal ?

– Tout s'est passé sans anicroche. J'ai même été surprise de ne pas apercevoir le moindre pyaye sur les marches de l'Hôtel de Ville ou sur celles de la Grande Église !

– Personne ne regardait Monsieur Tartous d'un air menaçant ?

– Si ! Monsieur Driss, Signor Campobasso, Tibor Ramshaye (le coolie de la mariée) et...

Elle eut un rire nasal avant de détacher :

– Et moi.

Cette franchise plut à Cambronne Mâcheclair, qui changea brusquement de sujet :

– Chimène-Surprise, autrement dit Mademoiselle Ahoua... ?

– La ménagère des mariés ? Elle assistait à l'office.

– Son air ?

– Celui d'un enfant qui va pour la première fois au cinéma.

– Portait-elle son éternel sac à provisions ?

– Bien sûr.

Cambronne Mâcheclair soupira :

– J'aurais donné cher pour savoir ce qu'il y avait dedans !

Après un bref mouvement de contrariété, Gastonia devint tout sourire. Ses pieds se rapprochèrent de ceux de son amphitryon, s'y collèrent, les frottèrent, les malaxèrent. Puis, tandis que les sorbets industriels leur frigorifiaient les zones érogènes supérieures, les genoux de la fille-liane entrèrent en action, ses yeux se pâmèrent, ses hanches se mirent à onduler sur sa chaise.

La petite serveuse aux jambes pourpres d'ulcères variqueux apparut et murmura :

– Chambre Deux. Le ménage est fait...

8

Les chambres où fleurit la sombre fleur du sexe.

SAINT-JOHN PERSE.

Après s'être abattu sur le côté à la manière d'un lapin satisfait, Cambronne Mâcheclair s'accorda dix minutes pour récupérer. Ensuite, constatant que Gastonia dormait profondément, il se leva et fit toilette tout en inspectant les lieux. La chambre n'était pas exactement sale mais tellement délabrée que, pour ne pas céder à la mélancolie, le meilleur expédient consistait à déchiffrer les pancartes clouées à l'entour du lavabo : *Défense d'uriner ci-dessous – il est interdit de se servir des moustiquaires pour faire briller ses chaussures – l'hôtel ayant failli prendre feu à la suite de l'imprudence d'un fumeur, tout client surpris à fumer au lit sera immédiatement renvoyé.*

Cette lecture lui ayant rendu le sourire, il gribouilla à l'intention de Gastonia un petit mot indiquant qu'il serait de retour avant 15 heures, descendit à la salle

232

de restaurant, signala à Lacfodia qu'il lui confiait son carillon et son invitée, descendit encore un étage, longea la Place de la Halle, prit la rue Frébault en direction du port, se retrouva aux *Toiles de Damas*.

– Vous m'avez pris pour Compé Zamba ! dit-il à Habib ; vous n'avez pas déposé Mademoiselle Gastonia chez elle à 2 heures du matin, mais à 6 ! Où kallé ?

Habib lui adressa son regard le plus direct.

– Elle était très énervée : la jalousie, le champagne... Alors, pour éviter un esclandre, je l'ai emmenée faire une promenade.

– Dans les cannes, hein, hein ?

Habib eut un geste d'autoabsolution.

– Le sens de la famille vous conduit parfois loin.

– Jusqu'où ?

Habib eut un sursaut pudique.

– Vous devenez gênant !

Cambronne Mâcheclair rectifia sèchement :

– Je vous demande simplement où vous êtes allés.

Habib parut faire un gros effort de mémoire.

– D'abord à Vieux-Bourg de Morne-à-l'Eau, et puis aux Portes-d'Enfer d'Anse-Bertrand. Nous nous y sommes même baignés.

– Vous aviez des maillots ?

– Nous avons bien regretté de ne pas en être munis, lorsque nous avons été coursés par un caret [1]. Ces petites bêtes de cent et quelques kilos ont des becs affreusement tranchants...

– Vous n'avez pas été atteints ?

– Moi, non. Mais Mademoiselle Gastonia ne s'en est pas tirée sans quelques ecchymoses.

– Pauvre jeune personne ! dit hypocritement Cambronne Mâcheclair.

Il avait probablement laissé transparaître ses

1. Tortue marine.

233

doutes, car, au moment du départ, Habib jugea bien-
séant de lui faire un nouveau cadeau : un pantalon
dont la brièveté des jambes était compensée par un
tour de taille gargantuesque.

9

Bel boucaut, mauvai mo'ue.
ZAGAYA, Proverbes créoles.

Gastonia dormait encore – toute nue, à plat ventre, les reins si concaves et le séant si convexe que, dans cette pièce misérable, elle évoquait un Tanagra fourgué à un ferrailleur.

Il y avait mille moyens sympathiques de la réveiller. Mais, se méfiant de tout, d'elle comme de lui-même, Cambronne Mâcheclair se borna à lui rugir dans l'oreille :

– J'ignorais que les tortues marines remontaient jusque sur les Hauteurs de la Lézarde !

Elle s'étonna, avec beaucoup de sincérité apparente :

– Les tortues ? La Lézarde ?

Il ne se radoucit pas pour autant.

– S'il faut en croire M. Habib, la nuit du meurtre, au cours d'un bain de minuit et quelque, vous avez été attaquée par un caret, vous !

235

Elle eut un rire narquois.

– C'est pourtant vrai !

– Où cela s'est-il passé ?

Elle hésita un instant. Puis :

– J'ai oublié de vous dire que, de la Lézarde, nous sommes allés...

– Toujours par la route ?

– Naturellement ! Vous avez de ces questions... Je disais donc que nous sommes allés sur une petite plage entre Capesterre et Trois-Rivières.

Cambronne Mâcheclair estima prématuré de faire remarquer à Gastonia qu'elle situait ses ébats aquatiques au bas de la côte Est de la Basse-Terre alors que, selon Habib, cela s'était passé vers le Nord de la côte Ouest de la Grande-Terre. Il se contenta de fixer sur Gastonia un regard peu convaincu.

Pour rendormir sa méfiance, elle se mit à onduler lascivement.

Bien qu'il se sentit de nouveau en forme, il ne se laissa pas tenter.

Elle fit la moue, se mit à bâiller, ferma les yeux, ébaucha même un ronflement.

Il quitta la chambre sur la pointe des pieds, descendit payer Lacfodia, et, d'un pas martial, son carillon sous le bras droit, son pantalon pour famille nombreuse à la main gauche, il prit la direction du Club Nautique : Habib et Gastonia lui avaient raconté de telles sornettes que même la nature de leur moyen de transport appelait vérification.

En chemin, pour prévenir la transpiration, il s'accorda un ti blanc-citron, mais chez une concurrente de Mme Herminie, de peur de perdre du temps avec Renélia.

Arrivé à la Darse, il se ressouvint du baba que M. Achille lui avait offert et dont, par précaution, il avait fait bénéficier les poissons nettoyeurs : avec un soulagement nuancé de regret, il apprit des riverains qu'aucun de ses obligés n'avait été vu flottant le ventre en l'air.

Au Club Nautique, un gardien déguisé en amiral l'informa que le hors-bord de Habib y possédait bien son anneau d'appontement, que note n'était pas tenue des départs et des retours, qu'heureusement le gardien de nuit avait très bonne mémoire, mais qu'il *restait* à Petit-Canal, près de l'abattoir.

Sans désemparer, Cambronne Mâcheclair s'en fut à la gare routière du Faubourg Frébault, et, ayant trouvé un char en partance, il s'y assit, ses cadeaux sur les genoux.

10

*Mais qu'a-t-on fait des hauts navires
à musique qu'il y avait à quai ?*
SAINT-JOHN PERSE.

Le large et long chenal rectiligne, port en d'autres siècles, maintenant parc à palourdes, s'étendait du morne à la mer, bordé au nord par une cocoteraie où s'abritait un abattoir rustique. Le matin, dans un joyeux brouhaha, on y assommait et taillait en quartiers les zébus sous les yeux résignés de leurs congénères qui attendaient leur tour, amarrés aux arbres voisins. L'après-midi, l'endroit était désert et, contraint de surplus à zigzaguer entre les pièges à crabes de terre, Cambronne Mâcheclair eut quelque peine à trouver la case du veilleur de nuit.

Celui-ci était un grand Noir d'âge moyen, bien découplé, aux traits fins, mais dont le visage exprimait une perpétuelle anxiété et dont le pantalon se distendait entre les jambes sur une proéminence trop encombrante pour être flatteuse.

Dès qu'il vit Cambronne Mâcheclair s'avancer vers lui, une horloge et une sorte de grand chiffon à meubles sous le bras gauche, la main droite tendue, l'homme tira de sa poche un couteau à cran d'arrêt et le pointa.

– Un pas de plus et je te pique !

– Mon ché !

– Si tu y touches, mouin ka saigné ou !

Cambronne Mâcheclair se garda de bouger pieds ou mains, prit son air le plus bonasse, se lança dans une harangue émolliente, et l'énergumène, enfin calmé, prêt à exhiber ses pièces justificatives, révéla qu'atteint d'une filariose particulièrement mal placée, il était le souffre-douleur des loustics du voisinage, qui, sous prétexte de se porter chance, s'opiniâtraient à tapoter sa bosse comme s'il l'avait eue entre les omoplates.

– Et il n'y a pas de remèdes ? demanda Cambronne Mâcheclair.

– Si, ça ! dit l'invalide, tout en faisant sauter son couteau dans sa paume ; les mounes que j'ai transformés en zèbres, maintenant ils passent au large.

– Chasser les indiscrets, c'est bien. Mais les filaires... ?

– Mon ché ! Quand ils se logent dans la jambe ou dans le bras, et à condition qu'on soit assez riche, on peut aller se faire opérer à Porto-Rico : Les Yankees vous soulèvent la peau ti-carré par ti-carré et vous enlèvent vos asticots les uns après les autres... Mais, laissez-moi vous dire, est-ce que vous me voyez en train de me *les* faire éplucher comme des oignons ?

Après avoir hoché la tête avec compassion et posé son chargement contre un cocotier, Cambronne Mâcheclair en arriva à l'objet de sa visite.

– Au cours de la nuit de samedi à dimanche dernier, à quelle heure Monsieur Habib Hama est-il venu prendre son hors-bord ?

– Un peu après minuit.

– Avec qui était-il ?

– Avec son frère et sa nouvelle belle-sœur.

– Dans quelle direction sont-ils partis ?

– Vers l'Est. D'ailleurs, j'ai cru comprendre qu'ils étaient attendus vers l'Îlet de Père-Labat.

– Avez-vous eu l'impression qu'ils étaient suivis ?

– Je n'ai rien repéré de suspect.

– Rien derrière la voiture ? rien derrière le canot ?

– Non plus.

– Ce canot, à quelle heure est-il revenu ?

– Vers une heure.

– Monsieur Habib était seul, cette fois ?

– Tout seul.

– Qu'a-t-il fait après avoir mis pied à terre ?

– Il a repris sa voiture. Il m'a dit qu'il retournait au Grand-Hôtel. D'ailleurs, il est parti dans cette direction.

– Il n'est pas revenu un peu plus tard ?

– Mon ché... non !

Il avait hésité et son regard était devenu fuyant. Cambronne Mâcheclair estima qu'il ne parlerait que sous les coups ou devant un cadeau. Il se fit patelin :

– Laissez-moi vous dire, compé ! Je ne puis m'empêcher de repenser à vos ennuis de santé... Ce qui les rend si évidents, si insupportables, c'est que vous avez un pantalon trop juste. Essayez donc celui-ci, que je viens d'acquérir : il est tout neuf, nettement plus large ; la différence de tour de ceinture vous assurera un confort que vous n'avez jamais encore connu...

L'homme remercia d'un sourire, saisit le vêtement, alla dans sa case, et, bientôt, en ressortit rayonnant, culotté d'une sorte de bermuda qui s'évasait en mont-golfière.

– J'ai l'impression, s'extasia-t-il, d'avancer sur un coussin d'air !

Après l'avoir congratulé, Cambronne Mâcheclair recommença de l'interroger :

– Donc, Monsieur Habib a repris son canot une seconde fois ?

– Laissez-moi vous dire...

– À quelle heure ?

– Il pouvait être 2 heures.

– Il n'était pas seul ?

– Pas tout à fait.

– Qui l'accompagnait ?

– Une demoiselle qui travaille aux *Toiles de Damas.*

– Personne d'autre ?

– Ni homme ni femme.

– Dans quelle direction le canot est-il reparti ?

– Encore une fois vers l'Est.

– Une autre embarcation a-t-elle pris la mer dans le même laps de temps ?

– Je n'en ai pas vu.

– Quand Monsieur Habib est-il revenu ?

– Au petit matin.

– Avec sa passagère ?

– Avec elle.

– Quel air avaient-ils ?

– L'air de s'être bien amusés.

– À quoi cela se voyait-il ?

– Ils avaient les jambes molles et le visage triste.

– Vous ont-ils demandé de ne pas parler de leur promenade en mer ?

– Monsieur Habib, oui. Et il m'a même donné un gros billet... De quoi acheter un ou deux bitins comme ça !

L'homme aux filaires mal placés avait louché avec convoitise sur le carillon Westminster.

Cambronne Mâcheclair se hâta de récupérer son bien et de prendre congé.

Les chars se succédant à la cadence de rames de métro, il ne fut pas long à rejoindre le Club Nautique, où, après en avoir référé téléphoniquement à M. Aber, l'amiral de service l'autorisa à inspecter le hors-bord de M. Habib.

Il n'y devait trouver ni œufs de l'Ermitage de Maulette, ni pelotes de septain, ni bougies, ni pièces démonétisées, mais seulement quelques litres de bière scellés de capsules-couronnes et munis en supplément de fermetures à levier.

Tous étaient pleins. Cambronne Mâcheclair s'en étonna.

– Je récupère les vides pour ma femme, dit le gardien. Elle tient un lolo où elle vend du rhum au détail.

11

*Cabritt ka caca pilule, i pa pha'ma-
cien pou autant*[1].

ZAGAYA, Proverbes créoles.

– Monsieur Marigot...
– Hihi ?
– L'analyse à mouin ?
Le vieux potard poivre-et-sel s'embobina les mains
l'une dans l'autre tout en laissant un petit fou rire
contrôlé assurer la transition avec les questions essen-
tielles.
– Hihi ! l'analyse est faite ; mais quel travail, mon
chè ! J'en étais à peine à moitié que vos cinq mille
francs de provision était déjà dévorés.
– Autrement dit ?
– Pour solde d'honoraires, il m'en faut autant.
Cambronne Mâcheclair se renfrogna.

1. Le cabri fait des crottes en forme de pilules, il n'en est pas
pharmacien pour autant.

– Mouin plus tini provision. À la rigueur, si vous voulez de ça...

Il posa son carillon sur le comptoir.

Les yeux de M. Marigot s'allumèrent.

– Il marche ? il sonne ?

– Il est neuf.

– Affaire conclue, mon chè !

Et d'enchaîner :

– Volume de l'échantillon : dix centicubes ; teneur en alcool pur : seize pour cent ; sang humain (groupe « O ») ; cellules épithéliales ; rognures d'ongles ; cheveux et poils hachés ; urates ; albumine... Indiscutablement un philtre d'amour. Il y a des boissons plus hygiéniques, mais aucun poison proprement dit n'entre dans la composition, et la personne qui a fourni les matières premières, alcool excepté, est... hihi !

– Est quoi ?

– Hihiu !

– Allez-vous me dire une bonne fois ce qu'elle a !

– Elle est saine.

Cambronne Mâcheclair regretta un peu moins de s'être privé d'un objet agréable à la vue comme à l'ouïe, auquel il avait déjà assigné une place de choix dans sa salle aux dix-huit chaises.

12

Il y a sous la réserve de ma luette une bauge de sangliers.

Aimé CÉSAIRE.

Gastonia et Habib avaient dû mesurer l'abîme qui séparait leurs versions, car c'est avec un manque ostensible d'aménité qu'ils accueillirent Cambronne Mâcheclair à sa nouvelle venue.

Lui-même ne se montra pas de meilleure humeur ; toutes les fausses cloisons des *Toiles de Damas* vibrèrent sous sa harangue :

– Je croyais que les conducteurs de chars – toujours en surcharge, les maraudeurs d'ananas-bouteilles – persuadés de n'avoir pris que des fruits sans valeur parce que pleins d'épines, les propriétaires de citernes non grillagées – jurant n'avoir pas vu de maringouins depuis plus de dix ans alors qu'ils grelottent de paludisme... je croyais, dis-je, que tous ces mounes-là m'avaient aguerri contre toutes les formes de la mauvaise foi. Eh bien, personne avant vous n'avait pareillement essayé de me faire prendre des mangoustes pour des homards ! Où kallé batifoler au clair de lune ? Aux Portes d'Enfer d'Anse-Bertrand ? Au sud de Capesterre ? Pourquoi pas à Bouillante ou sur l'aiguille de la Soufrière ?

Habib crut bon de jeter du lest :

— Notre rencontre avec la tortue marine est tout à fait véridique, à ceci près qu'aucun de nous n'a été blessé ni même contusionné. Par contre, nos mémoires nous ont trahis en ce qui concerne le lieu de l'incident. En fait, nous nous trouvions sur une plage très discrète, entre Saint-François et la Pointe-des-Châteaux. Dans ma jeunesse, c'est là que j'allais pêcher les petites palourdes qui font de la si bonne soupe.

— Je connais l'endroit, grommela Cambronne Mâcheclair ; on y va par un chemin de cabrouets[1], tellement chaotique que plusieurs Jeeps y ont capoté.

Il fixa Habib dans les yeux :

— À propos, votre voiture, c'est bien une Alfa-Romeo ?

Habib se cabra.

— Cela vous dérange ?

Cambronne Mâcheclair prit un air méditatif.

— Ce qui me dérange, c'est qu'en descendant vers la plage dont il s'agit, ce véhicule surbaissé ne soit pas resté à plat ventre sur une roche !

— C'est pourtant la vérité !

— La vérité, malfaisant petit mille-pattes, c'est que, où que vous ayez emmené l'innocente demoiselle-là ce n'était pas en voiture mais en canot !

— Habib, s'exclama Gastonia, pourquoi toujours inventer ? Ti bitin par-ci, ti bitin par-là ! Tu peux être sûr que gros compè-là, il a déjà été fureter au Club Nautique !

1. Charrettes.

246

Cambronne Mâcheclair eut un sourire, mais de bouledogue.

– J'ai même laissé traîner un œil dans votre hors-bord.

Habib s'indigna :

– Vous aviez un mandat ?

Plutôt que de laisser la conversation se perdre dans le maquis de la procédure, Cambronne Mâcheclair empoigna Habib par le col de sa chemisette et se mit à le secouer comme une laitue.

– Vous ne niez plus l'évidence ? C'est bien avec le canot à ou que vous avez voyagé jusqu'à cette petite plage entre Saint-François et la Pointe-des-Châteaux ?

– Où est le mal ? ricana Habib, tout en essayant en vain de se dégager.

Cambronne Mâcheclair haussa les épaules – et, par contrecoup, celles de Habib.

– De mal, aucun ! Si ce n'est que l'Îlet de Père-Labat était sur votre trajet. Et quoi de plus naturel que d'y faire escale à l'aller ou au retour ?

Loin de trahir la peur, la physionomie de Habib se contenta d'accentuer son expression cafarde.

– Au retour, non : demoiselle-là était beaucoup plus calme grâce au besoin de sommeil et à... à mes attentions ; mais, à l'aller, il ne lui aurait pas déplu de surprendre les tourtereaux au nid : elle avait même obtenu de ma faiblesse que je mette le cap sur l'Îlet. Heureusement, au dernier carat, elle s'est rendue à mes arguments, et nous n'avons pas accosté.

– Quels arguments ? maugréa Gastonia ; tu avais constaté comme moi qu'on ne pouvait pas les surprendre : il y avait encore de la lumière dans le pavillon !

Cambronne Mâcheclair lâcha Habib mais resta nez à nez avec lui, le dominant du regard.

– Admettons que vous n'ayez pas débarqué sur l'Îlet... Vous n'en êtes pas moins passés très près ?

– Peut-être à une demi-encablure, dit Habib.

– Plutôt à un quart ! jappa Gastonia.

– Et, à part l'éclairage du pavillon, vous n'avez rien remarqué ?

– Non, dit Gastonia – trop vite pour avoir eu le temps de réfléchir.

– Si, dit Habib, j'ai vu quelque chose... Je ne sais pas si cela peut avoir une importance...

– Dites toujours !

– Il y avait... si mes souvenirs ne me trompent pas...

– Il y avait quoi ?

– Au débarcadère...

– Quoi au débarcadère ?

– Il y avait un canot amarré.

– Oui, je crois bien, un canot, intervint Gastonia.

– Un canot de quelle sorte ?

Habib eut un geste évasif.

– Un canot... comme tous les canots.

– Pas un gommier, quand même ?

– Non, moins bas sur l'eau.

– La couleur du canot ?

– Vous savez ! la nuit...

– Ce n'était pas une nuit sans lune !

– Non, mais on ne pouvait pas reconnaître les couleurs... Seulement dire si elles étaient claires ou foncées...

– Et la peinture du canot vous paraissait... ?

– Claire.

– Aucun être humain en vue ? près du canot ? près du pavillon ? n'importe où sur l'Îlet ?

– Personne.

– J'allais oublier... Quelle heure était-il ?

248

– Aux alentours de 2 h 30, dit Habib.

– J'aurais pensé deux heures et quart, insinua Gastonia.

Négligeant ce désaccord de quinze minutes, Cambronne Mâcheclair poursuivit l'interrogatoire de Habib :

– Dans votre hors-bord, il y a des bouteilles d'un type assez particulier... À quoi sert leur double fermeture ?

– Vous qui prétendez tout connaître, jappa Habib, devinez-le vous-même !

Et il lança son pied droit à la rencontre du gros orteil gauche de Cambronne Mâcheclair.

Portant ses durillons à droite, ce dernier ne ressentit le geste que comme un outrage, qu'il réprima en exerçant sur la chemisette du récalcitrant une traction assez forte pour en faire craquer les coutures.

Calmé comme s'il avait été publiquement déculotté, Habib n'attendit pas qu'on lui répétât la question.

– À condition d'en trouver une de bonne qualité, la bière au litre revient beaucoup moins cher qu'en petites bouteilles ; la fermeture à levier permet de conserver les restes sans qu'ils perdent trop vite leur gaz ; par ailleurs, seule, la capsule couronne peut résister aux innombrables cahots d'un transport à longue distance.

Cambronne Mâcheclair eut un mouvement approbatif. Cet exposé technico-commercial concordait avec ce que lui avait dit, dans son bureau dominant le port de commerce, certain importateur flamand, tout gonflé et tout rose de tant aimer sa boisson nationale... un Flamand rose, hein ! hein !

– Le soir des noces, enchaîna-t-il, avez-vous déposé sur l'Îlet des bouteilles de ce genre ?

– À ma connaissance, seulement du champagne. Mais Tartous a pu m'en prendre une ou deux pour le réveil. Nous n'avions pas l'habitude de compter entre nous...

– Détenez-vous ou avez-vous détenu récemment, dans les caisses de ce magasin ou à domicile, des pièces de monnaie d'un montant inférieur à cinq francs ?

– Je n'en ai pas vu depuis plusieurs années, dit Habib.

– Moi de même, dit Gastonia.

Avec le même ensemble – sincèrement, semblait-il – ils affirmèrent ne plus avoir de bougies en stock depuis que la distribution électrique s'était normalisée, ne pas tenir commerce d'œufs et se garder d'en consommer, le climat tropical suffisant à fatiguer leurs foies.

Un temps mort, et Cambronne Mâcheclair se plantait de nouveau devant Habib, l'œil inquisiteur :

– Lors de la réception au Grand Hôtel, vous portiez un costume de soirée. Qu'est-il devenu ?

Habib se troubla.

– Je l'avais acheté pour marier mon frère. Tartous étant... n'étant plus dans le cas de se marier encore, j'ai revendu ce vêtement devenu sans objet.

– C'était un smoking ?

– Non, une jaquette avec le pantalon rayé.

– Cette vente remonte à quand ?

– À mardi dernier, je crois.

– L'acheteur ?

– Je ne sais pas : c'était un client de passage...

– Comment était-il ?

– Assez grand... la peau presque noire... plutôt élégant... un accent vaguement anglais... Je me suis dit qu'il venait du Commonwealth ou de Porto-Rico.

— Il ne vous a pas payé en chèque de voyage, par hasard ?

— Non. En argent liquide.

— En billets de la Banque de la Guadeloupe ?

— En dollars.

— Montrez-les moi !

Habib ouvrit un tiroir à demi plein de billets verts.

— Ils sont là ; mais lesquels... ?

Cambronne Mâcheclair se rabattit sur Gastonia :

— Pour quel usage avez-vous acheté tant de septain... de corde à sept brins ?

Elle ne répondit pas ; mais, malgré le double écran de son maquillage et de sa pigmentation naturelle, ses joues parurent avoir rougi.

Sans le moindre embarras, comme si la chose allait de soi, Habib expliqua :

— Pendant des générations, mes ancêtres ont fourni en odalisques les harems les plus *smart* du Moyen-Orient. Contrairement à moi, mon pauvre frère en avait hérité un goût très marqué pour le *bondage*.

— Le... ?

— Autrement dit, sa passion était de jouer au maître et à l'esclave.

— Si je comprends bien... ?

— Il n'était homme à part entière que si sa partenaire avait pieds et poings liés.

La commisération déborda du visage de Cambronne Mâcheclair.

— Il ne pouvait pas prendre de la liane comme tout le monde !

Bien vite, il rectifia :

— Comme tous les mounes qui se sentent un peu faibles !

Puis, à Gastonia :

– À propos de fortifiants, qu'est-ce que c'est que cette saloperie que vous aviez confiée à la fille Ahoua (Chimène-Surprise) pour qu'elle la fasse boire à son patron ?

Gastonia se raidit.

– Cela ne pouvait pas lui faire du mal !

– Sinon lui donner la va-vite !

Elle entra en furie :

– C'était peut-être moins dangereux que l'*Élixir de Sagesse* dont ces deux macaques de Driss et de Campobasso parlaient pendant le bal ! Même qu'en sortant Campobasso a dit à Driss : « Continue à te montrer ! Je vais m'occuper de la ménagère. »

Cambronne Mâcheclair se dirigea vers la rue.

– Ce sera tout pour ce soir. Mille remerciements. Votre spontanéité...

– Rendez le carillon ! feula Gastonia ; vous ne l'avez pas mérité !

– Le pantalon ! miaula Habib.

Cambronne Mâcheclair leur voua un sourire machiavélique.

– Impossible ! J'en ai fait don. Le pantalon, à un pauvre homme dont les trop gros testicules aspiraient à un logement décent.

– Et le carillon ?

– À un pauvre pharmacien-biologiste à qui j'avais confié la lourde tâche d'analyser divers sous-produits de la demoiselle ici présente.

13

Quoi qu'il en soit, ils pouvaient nous empoisonner, s'ils ne pouvaient nous ensorceler...

Ange PITOU.

Dans cette rue obscure où, insolites, les flammes de quelques vulgaires bougies vacillaient à même le trottoir, la boulangerie de M. Achille apparaissait sinistre, avec ses volets crasseux hermétiquement rabattus sur une devanture d'un vert noircissant. Sur la porte, une pancarte bordée de noir annonçait : Fermé pour cause de deuil. Le bec de cane n'étant pas bloqué, Cambronne Mâcheclair entra. Les étagères étaient vides de pain ; la vitrine, de gâteaux. La seule lumière émanait d'un cierge posé sur le comptoir. Derrière ce dernier, Mme Achille était affalée, en larmes.

– Ou ka vini pou Chichi ? gémit-elle mezzo-voce.
– Aurais-je la chance de la rencontrer ici ? balbutia Cambronne Mâcheclair.

Mme Achille leva ses yeux rougis vers le ciel, se moucha, puis :

– Ici, ç'aurait été plus correct. Malheureusement, vu les circonstances, elle est à la morgue de l'Hôpital Général.

– À la... ?

– Et mon pauvre mari est là-bas pour la veiller !

– Mais que lui est-il arrivé ? Un accident ?

– Peut-être. On l'a retrouvée noyée dans un fossé de l'Assainissement[1]. Ce matin, de bonne heure.

Après avoir présenté ses condoléances à Mme Achille, Cambronne Mâcheclair crut décent d'observer une minute de silence. Il en profita, d'abord, pour se demander si l'interrogatoire auquel il avait soumis Chimène-Surprise avait pu la pousser au suicide et, ensuite, pour se répondre en toute bonne foi que, si une telle hypothèse avait été envisageable, Mme Achille n'eût pas manqué de l'évoquer.

Rasséréné, il demanda :

– Ses affaires ?

Mme Achille eut un geste d'ignorance.

– Dans case à elle, je suppose... Mais... Attendez ti moment !

Elle ouvrit la porte d'une pièce qui se révéla chambre, fouilla dans la literie, revint avec le cabas de Chimène-Surprise.

– Elle l'avait oublié hier. Elle l'oubliait souvent...

– Vous permettez ?

Cambronne Mâcheclair vida le cabas sur le comptoir. Comme tout sac de dame, il contenait mille choses aussi encombrantes qu'inutiles, mais aussi un flacon étiqueté *Élixir de Sagesse*.

Cambronne Mâcheclair fut d'abord tenté de le porter à M. Marigot. Mais cela eût coûté cher. Il se résolut donc à remplacer l'analyse par l'expérimentation.

---

1. Quartier conquis sur les marais, où habitait la de cujus.

– Ban mouin ti morceau de pain ! dit-il à Mme Achille.

– Le patron a laissé brûler sa fournée.

– Du rassis fera l'affaire.

Elle lui tendit une demi-baguette. Il en détacha un croûton, imbiba celui-ci d'Élixir de Sagesse, alla le lancer à un des nombreux chiens jaunes et squelettiques qui erraient à proximité.

À peine le dégustateur improvisé avait-il avalé qu'il s'écroulait, tué raide.

14

Dors-tu content, Voltaire...
                    Alfred DE MUSSET

Á cette heure tardive, Cambronne Mâcheclair n'osa pas aller déranger le commerçant auquel il avait laissé son cyclomoteur en garde. Et puis, l'engin était-il encore assez fiable pour escalader les mornes des Grands Fonds ? Les pannes de caoutchouc... La calamine... La peur panique qui empêche les mounes de la campagne d'ouvrir leur porte en pleine nuit... Mieux valait renoncer au plaisir d'un tête-à-tête avec Marie-Socrate – tête-à-tête que la proximité de Mignonnette eût d'ailleurs risqué de rendre pesant – et regagner Père-Labat par le dernier char, qui attend la sortie des cinémas.

Bien en prit à Cambronne Mâcheclair, car, à hauteur du Fort Fleur-de-l'Épée, le camion à banquettes, ayant stoppé brusquement pour éviter un cochon en rupture d'amarre, fut heurté à l'arrière par une automobile qui persistait à ne pas le dépasser malgré la

256

fluidité de la circulation et dont le conducteur n'était autre que l'Inspecteur Voltaire, dit « Pattes de Velours », connu dans toute l'île pour la discrétion de ses filatures et pour l'énergie de ses interrogatoires.

CINQUIÈME JOURNÉE
(Jeudi 7 juin 195...)

1

Le service judiciaire vient d'être réorganisé sur le modèle de la Métropole.
Eugène REVERT.

Aux heures d'instruction, l'arrière-cabinet restait aussi hermétiquement obscurci que lorsqu'il remplissait l'office de laboratoire photo. Cambronne Mâcheclair et M. Boid'ho s'y assirent à tâtons, près de la porte de communication – par l'entrebâillement de laquelle, dans un faisceau de lumière poussiéreuse hachée par les jalousies, ils avaient une vue privilégiée sur M. Aber, assis à son bureau, et sur la chaise encore vide qui lui faisait face.

Escorté d'un agent de police en tenue, Campobasso entra.

Ses yeux flamboyaient.

Au lieu de gagner modestement le siège qui lui était destiné et d'y poser un postérieur rétréci par l'appréhension, il fonça vers le greffier Nirelep, s'arrêta au ras de sa petite table de cajou blanc, considéra sa machine à écrire avec dédain, repartit à angle droit, se planta devant le bureau de M. Aber et y appliqua un coup de poing qui dut lui faire mal aux articulations.

— Alors, c'est vous le juge ! rugit-il ; vous allez m'expliquer, et plus vite que ça, ce que signifient ces manières ! Me faire appréhender par un sbire, à mon domicile, sous les regards narquois de mes voisins et ennemis, voilà qui est bien digne de la nation décadente qui, n'ayant osé combattre de face notre valeureux Duce, a attendu sa disparition pour nous dérober lâchement Tende, Brigue, le comté de Nice, la Savoie et...

— Et pourquoi pas les îles Kerguelen ? murmura M. Boid'ho.

Quant à M. Aber, la diatribe de Campobasso avait eu pour seul effet apparent de rendre un peu plus hiératique son profil de médaille.

— Asseyez-vous ! dit-il, sans élever la voix mais sur un ton de commandement.

Campobasso regimba.

— Si je veux !

Sur un signe de M. Aber, l'agent de police empoigna le contestataire aux épaules et l'assit avec tant de conviction que la chaise eut un craquement.

Campobasso ouvrit la bouche mais resta sans voix.

M. Aber en profita pour lui ordonner de décliner son identité, ce qu'il fit dès que ses cordes vocales se furent débloquées. Peu après la voix, sa hargne du début lui revint. Il vociféra :

— C'est inadmissible ! Je me plaindrai ! Vous me traitez comme un criminel !

— De fait, dit platement M. Aber, sur réquisitoire introductif en date de ce jour, je vous inculpe d'avoir, à La Pointe-à-Pitre (département de la Guadeloupe), le deux juin dernier, en tout cas sur le territoire français et depuis temps non prescrit, tenté d'attenter à la vie du sieur Tartous Hama par l'effet de substances susceptibles de donner la mort plus ou moins promptement, de quelque manière que ces substances aient eu à être employées ou administrées – crime prévu et réprimé par les articles 301 et 302 du Code pénal.

Campobasso eut un mouvement de menton mussolinien.

– Vos preuves ?

– Ça, dit M. Aber, en lui présentant le flacon d'Élixir de Sagesse.

Campobasso blêmit, porta la main à son cœur mais, en bon ancien balilla, résista à la tentation de tourner de l'œil.

Quand il parut suffisamment remis, M. Aber poursuivit :

– Vous êtes libre de ne faire aucune déclaration sans être assisté d'un avocat choisi et rémunéré par vous ou désigné d'office par le Bâtonnier et gratuit.

– Le diable emporte l'avertissement légal ! grommela M. Boid'ho ; s'il consulte un cher Maître, il ne voudra plus avouer.

Mais Campobasso était brisé.

– Je saurai aller tout seul à la guillotine, dit-il d'une voix blanche, j'avoue...

– Avoir corrompu la fille Ahoua (Chimène-Surprise) pour qu'elle fasse absorber par son employeur le sieur Hama un prétendu Élixir de Sagesse qui n'était autre qu'un poison violent, c'est bien cela que vous avouez ?

– Oui.

– Vous n'avez pas agi seul ?

– ...

– Avec qui avez-vous préparé l'attentat ?

– Mademoiselle Ahoua...

– Elle n'était qu'un instrument inconscient. C'est votre complice que je cherche.

Campobasso soupira.

– Je n'ai jamais dénoncé personne. Sauf, naturellement, ceux qui conspiraient contre le Duce...

– Et contre son compè Adolf ! susurra M. Boid'ho.

Campobasso écrasa une larme.

– Mais la vérité m'oblige à dire que j'ai agi en plein accord avec Monsieur Driss. C'est même lui qui a eu l'idée du poison et qui se l'est procuré.

– De qui le tenait-il ?

– Il a été très discret à ce sujet.

– Il le sera peut-être moins aujourd'hui.

M. Aber toussota, pour s'éclaircir la conscience professionnelle, la question qu'il allait poser débordant le cadre de l'inculpation.

– Par ailleurs, Monsieur Campobasso, je vous serais très obligé de bien vouloir m'indiquer si, dans la nuit du deux au trois de ce mois, seul ou en compagnie du susdit sieur Driss, vous vous êtes rendu sur l'Îlet de Père-Labat et vous y êtes livré à des manœuvres qui ont eu pour conséquence la mort par étouffement de celui que vous aviez tenté d'empoisonner ?

Campobasso retrouva le sursaut de l'innocence offensée.

– Songez à ce que vous dites ! Vous me connaissez bien mal ! Je suis bien trop sensible pour assister à l'agonie de...

– De votre victime ? dirent à la fois M. Aber à haute voix et M. Boid'ho à voix basse.

Campobasso se vexa.

– Je trouve ce mot d'esprit outrageant, pour ne pas dire inconvenant !

M. Aber commença à se fâcher :

– Quant à moi, je vous trouve assez peu qualifié pour donner des leçons... de savoir-vivre !

– Monsieur le Juge...

– Taisez-vous ! Je résume : vous reconnaissez la tentative d'empoisonnement, vous niez l'assassinat ?

Campobasso eut un sourire commerçant.

– Je ne vous le fais pas dire !

Au fur et à mesure, M. Nirelep avait dactylographié demandes et réponses. Il en donna lecture. Campobasso déclara persister et signa.

– Nous reprendrons cet entretien dans un moment, dit M. Aber sur un ton redevenu monocorde ; allez attendre dehors, devant la porte de mon cabinet !

Il ajouta pour l'agent qui avait amené Campobasso :

– Vous ne le laissez communiquer avec personne !

Sans désemparer, il fit introduire Ahmed Driss, procéda à son interrogatoire d'identité, l'inculpa de tentative d'empoisonnement, le gratifia de l'avertissement légal.

Le viking miniature se redressa sur sa petite chaise.

– Celui qui n'a rien à se reprocher, Monsieur le Juge, n'a besoin d'aucune aide ! Je nie formellement ce que vous vous plaisez à insinuer !

Du bout des doigts, M. Aber tapota sur son bureau.

– Je n'insinue rien. J'ai articulé des faits et je vous ai inculpé... Monsieur le Greffier, vous avez bien noté que l'intéressé acceptait de répondre sans assistance d'avocat ? Bien... Maintenant veuillez donner lecture à Monsieur Driss des déclarations de Monsieur Campobasso !

Plus M. Nirelep avançait dans cette lecture, plus Driss se tassait, s'affaissait, se recroquevillait. À la fin, d'une voix blanche, il reconnut la tentative d'empoisonnement, nia en avoir eu l'idée le premier mais révéla qu'il s'était procuré la strychnine auprès d'un employé municipal chargé de l'élimination des chiens errants. En outre, lui aussi, il contesta toute participation à l'étouffement de Tartous Hama.

Après le cérémonial de la signature, M. Aber rappela Campobasso, lui fit donner connaissance du procès-verbal d'audition de Driss. Puis :

– La confrontation à laquelle j'avais l'intention de procéder s'avère inutile, sauf sur un point : lequel de vous deux a commencé à évoquer la possibilité d'un empoisonnement ?

– Lui ! cria chacun en désignant l'autre.

M. Aber haussa les épaules avec lassitude.

– À votre gré ! Ce sera tout pour aujourd'hui.

Campobasso, imité à retardement par Driss, se glissa vers la sortie.

– Un moment toutefois ! dit M. Aber.

Il se tourna vers M. Nirelep.

– Monsieur le Greffier, les mandats de dépôt... ?

2

Pa confond' coco et zabrico.
ZAGAYA, Proverbes créoles.

Campobasso et Driss ayant quitté le cabinet d'instruction menottes aux mains, M. Boid'ho et Cambronne Mâcheclair émergèrent de leur observatoire, clignotant des paupières.

– Beau travail ! dit M. Boid'ho ; toutefois, cher ami, permettez à un vieux parquetier...

(Il n'avait pas dépassé les 30 ans !)

« ...de vous faire part d'un scrupule : la jurisprudence n'a-t-elle pas toujours subordonné la notion de tentative punissable au fait que l'aliment ou la boisson contenant le toxique a été mis à la disposition de la personne visée ? Or, depuis le moment où il a été confié à la demi-moitié de Monsieur Achille, l'Élixir de Sagesse ne paraît pas avoir quitté le cabas de celle-ci !

M. Aber eut un sourire très jeune.

– Nous en serons quittes pour disqualifier les faits

en détention et cession de substances vénéneuses, ce qui justifie également l'incarcération...

– Laquelle, jubila M. Boid'ho, me paraît tout à fait conforme à la morale !

Pensivement, il caressa la barbiche que parfois, par fidélité à Napoléon III, il s'imaginait porter. Puis :

– L'affaire de l'Îlet n'en est pas pour autant éclaircie. Pourquoi ces deux minables auraient-ils pris le risque de venir étouffer Tartous Hama de leurs propres mains alors qu'ils avaient tout combiné pour que sa ménagère l'empoisonnât discrètement, voire innocemment ?

– Je suis bien de votre avis, dit M. Aber, notre seule certitude, c'est l'incertitude.

Cambronne Mâcheclair se mit à renifler avec entrain, comme s'il quêtait le gibier.

– Juge, à nous chercher !

*Pitié pour nos vainqueurs omni-
scients et naïfs !*

Aimé Césaire.

M. Ville-d'Avray étant venu, avec sa condescendance coutumière, annoncer la visite du commissaire
Glandor, Cambronne Mâcheclair replongea dans les
ténèbres de l'arrière-cabinet tandis que M. Boid'ho
s'asseyait négligemment sur un coin du bureau de
M. Aber.

Après avoir sacrifié aux usages en assurant les
magistrats de ses respects, le commissaire annonça
triomphalement que, s'il n'était encore parvenu à
appréhender la veuve Hama et son complice Tibor
Ramshaye, il n'en avait pas moins rassemblé contre
eux un faisceau de preuves irréfutables.

– À Coquille-Rouge, perquisitionnant au domicile
du coolie, nous avons découvert : 1° un manuel de
sorcellerie (magie blanche et magie noire) ainsi
qu'une figurine de cire percée d'épingles à hauteur du

pubis ; 2° des gants de caoutchouc paraissant avoir récemment servi (leur intérieur sentait encore la sueur) ; 3° six bouteilles d'un litre (deux pleines de bière, quatre vides, mais toutes du même modèle, avec un goulot comportant une fermeture à levier et une gorge pour capsule-couronne). Nous avons retrouvé l'épicerie d'où provenaient ces canettes et, en outre, nous y avons appris que, dans les jours précédant le crime, le dénommé Ramshaye avait acheté une boîte d'œufs de l'Ermitage de Maulette.

— C'est troublant, dit M. Aber avec un manque de conviction qui n'aurait pas échappé au commissaire si ce dernier avait été moins sûr de son expérience et de ses appuis.

— En conclusion, roucoula l'heureux limier, vous pouvez d'ores et déjà, Monsieur le Juge, me signer deux mandats d'arrêt.

— Sale moune ! maco [1] à politicien fraudeur ! grommela Cambronne Mâcheclair dans sa cachette.

— Ne croyez-vous pas, cher Commissaire, dit M. Boid'ho avec une amabilité ambiguë, que des mandats d'amener suffiraient ? Vous perdriez la prime d'arrestation, mais je vous sais tellement au-dessus de ces babioles !

— De toute façon, trancha M. Aber, il s'agit de mesures graves, et je n'y recourrai que lorsque nous aurons pu éliminer les autres suspects... Monsieur le Commissaire, que pensez-vous du frère de la victime ?

— Ce bon Habib ? dit le commissaire avec bienveillance ; un bien charmant garçon ! très doué ! la bosse du commerce, comme tous ceux de sa famille ! Pour se cantonner dans la stricte légalité, il ne lui a manqué que des fonds de départ ! Maintenant, il pourra

1. Sale type ! maquereau...

268

donner toute sa mesure, et, dans les cinq ans, je le vois Président du Club Nautique ou membre influent d'une grande association philanthropique.

M. Boid'ho ébaucha en sourdine le cri du totem de la Metro-Goldwyn-Mayer, tandis que, sur les murs enténébrés de l'arrière-cabinet, Cambronne Mâcheclair voyait tournoyer des triangles luminescents.

– Vous savez, reprit M. Aber, que ce futur homme de bien n'a pas d'alibi sérieux ?

– Mon instinct, dit le commissaire, m'assure qu'il n'en a pas besoin.

M. Aber enchaîna, pour dissimuler son agacement :

– Quant à Mademoiselle Gastonia Traversin...

Le sourire du commissaire se fit entendu mais miséricordieux.

– Charmante ! aussi charmante au physique qu'au moral ! Le seul reproche qu'on peut lui faire est d'avoir, dans sa vie sentimentale, une liberté qui l'apparente plus aux Martiniquaises qu'à nos compatriotes, toujours si réservées.

Évoquant ses conquêtes passées et présentes, Cambronne Mâcheclair faillit se trahir par un fou rire.

– L'inconvénient, remarqua M. Aber, est que l'alibi de Mademoiselle Traversin repose uniquement sur celui, combien fragile, de son nouvel amant et que sa brusque répudiation par l'ancien peut être considérée comme un puissant mobile.

Le sourire du commissaire s'emplit de philosophie.

– Croyez-vous, Monsieur le Juge, que la fleur d'hibiscus en veuille au colibri qui s'en est allé butiner plus loin ?

– Que de poésie ! dit M. Aber.

Le commissaire joua les modestes.

– Je me suis adonné aux Muses avant...

– Avant de sombrer dans la politique ! songea Cambronne Mâcheclair.

– Pour ma part, s'égaya M. Boid'ho, je n'ai rimé qu'une fois, pendant une audience solennelle. C'était une fable-express. Elle donnait, si j'ai bonne mémoire :

> *Époux d'une trop jeune Aminte,*
> *Un vieil avocat général,*
> *Homme rigide, homme à cheval,*
> *Au lit donna sujet de plainte...*

« Je vous passe la morale ; elle était un peu leste.

– Si nous en venions à Maître Sucrier ? suggéra fermement M. Aber.

Le commissaire trahit un certain embarras.

– C'est... c'est un cas bien pénible ! L'huissier le mieux considéré de La Pointe...

– Jusqu'au jour, intervint M. Boid'ho, où il attesta avoir signifié un acte à la propre personne du destinataire... alors que ce dernier se trouvait sur le Rochambeau, entre les Açores et Vigo !

Le commissaire leva un regard oblique vers le ciel.

– Nul n'est à l'abri d'une erreur matérielle. D'ailleurs, ce n'est pas cet incident qui a entraîné sa démission...

– Sa révocation, rectifia M. Aber.

– Et encore, souligna M. Boid'ho, seule la bienveillance du Parquet lui a épargné de comparaître devant les Assises pour abus de confiance qualifié !

– Il avait remboursé, hasarda le commissaire.

– Grâce aux subsides de Tartous Hama, précisa M. Aber, et, en retour, il était devenu son conseiller juridique, son agent de recouvrement, son prête-nom.

– N'aurait-il pas eu de nouveau les mains un peu longues ? insinua M. Boid'ho.

Le commissaire esquissa un geste d'absolution.

– Évidemment, il continue à jouer ; mais rien ne me permet de soupçonner que le montant de ses pertes dépasse celui des fruits légitimes de son travail. S'il détournait des fonds, serait-il aussi peu soigné dans sa tenue ?

M. Aber tapota sur son bureau en signe d'impatience.

– Maintenant, parlez-nous un peu d'Ahmed Driss !

Le commissaire fit semblant de chasser une poussière sur son revers de veste.

– Un petit homme sans complication. Incapable, moralement et physiquement, de faire du mal à une mouche.

– Pas même avec du D.D.T. ! ironisa M. Boid'ho.

– Bien sûr, concéda le commissaire, vous me direz qu'il a été récemment condamné pour contrebande. Il a eu tort...

– De se faire prendre ?

– Mais ses intentions n'étaient pas totalement impures : alors qu'à la Bourse il est légal de tirer profit de la hausse ou de la baisse des valeurs, quel commerçant ne serait tenté de spéculer sur l'inégalité des droits de douane frappant une même marchandise, suivant son lieu de production et son mode d'acheminement ? D'ailleurs, les Finances ont pris l'incident si peu au sérieux qu'elles proposent à M. Driss une transaction qui, s'il en règle le montant, lui rendra la virginité de son casier judiciaire.

– La blancheur Pognon ! persifla M. Boid'ho.

– Les Douanes, déplora M. Aber, sont nettement moins compréhensives envers le magistrat qui oublierait de prononcer une amende !

– Je sais, dit jovialement le commissaire, il est responsable sur ses biens.

M. Boid'ho prit un ton pète-sec :

271

– Commissaire, je vous prie, revenons-en à nos agneaux... aux vôtres, plutôt ! Transaction ou pas, Ahmed Driss n'avait-il pas contre la victime, son dénonciateur, un excellent motif de vengeance ?

Le commissaire coiffa la casquette du vieux tonton (Macoute ?) prêchant la maîtrise de soi à un neveu encore esclave de ses impulsions :

– On voit bien que vous ne connaissez pas le monde des affaires, Monsieur le Procureur ! Dans ce microcosme, on répond à un coup bas par un coup encore plus bas, mais déraper jusqu'au meurtre serait considéré comme une marque impardonnable de mauvaise éducation.

– À moins, gouailla M. Boid'ho, qu'avec Gilles de Retz on ne pense qu'avec le sang d'autrui on peut se faire un peu d'or !

– Et Campobasso ? s'impatienta encore un peu plus M. Aber.

Le commissaire affecta de réprimer un fou rire.

– Un illuminé ! Mais pas méchant ! Évidemment, la police garde un œil sur lui... À cause de son idée saugrenue de faire faire sécession à notre chère île pour la livrer ensuite à une république dictatoriale d'on ne sait où ! A-t-il déjà recruté un adhérent ? J'en doute !

Dans les profondeurs obscures de l'arrière-cabinet, Cambronne Mâcheclair s'esclaffa silencieusement – ce qui est très douloureux pour les côtes : il venait de penser à l'adhésion par lui signée « Edrem Arilika ».

M. Aber, cette fois, ne tapota pas sur son bureau : il y frappa du poing.

– Eh bien, dit-il, ces inoffensifs Ahmed Driss et Alfredo Campobasso, je viens de les coffrer pour tentative d'empoisonnement sur Tartous Hama !

Sa voix était si tranchante que le commissaire eut le souffle coupé.

– Je... Hompf... Vous me permettrez, Monsieur le Juge, de m'étonner respectueusement que vous ayez à deux reprises incarcéré un suspect sans que la police vous l'ait présenté !

4

À bourse de joueur il n'y a point de loquet.

Proverbe du XIVe siècle.

– Monsieur Sucrier...

Le petit sexagénaire chafouin, à la peau presque blanche sous la crasse, se redressa avec un renfrognement de dignité outragée.

– Les gens de notre milieu, Monsieur le Juge, m'appellent « Maître » !

Toujours perché sur son coin de bureau, M. Boid'ho observa :

– Excusez mon collègue : il vous croyait destitué !

L'ex-huissier fit volte-face, à la manière du taureau qui vient de recevoir une paire de banderilles étrangère à ses prévisions.

– Je croyais avoir tout bêtement démissionné, Monsieur le Procureur ! À la suite de certaines pressions, m'objecterez-vous ? J'en conviens ! Mais Monsieur le Sénateur, après avoir consulté Monsieur le

Préfet, m'a assuré que, remplissant les conditions d'ancienneté, je conservais mes droits à l'honorariat, y compris celui de participer en robe à toutes les audiences solennelles...

M. Aber bâilla discrètement.

— Si vous y tenez, nous pourrons exhumer votre dossier. Cette... démission remonte à... ?

— Six ans ou presque.

— C'est feu M. Hama qui a désintéressé les victimes de vos... de vos prélèvements ?

— Qui m'a avancé de quoi apurer mon compte « étude », Monsieur le Juge ! La façon dont vous interprétez...

— Et, depuis cette remise à flot, vous êtes devenu l'homme lige du Sieur Hama ?

— L'homme quoi, Monsieur le Juge ?

— Disons : l'employé, l'homme à tout faire...

— Monsieur le Juge, je proteste ! Vous m'insultez ! Je ne faisais pas tout dans case à i ![1] Je ne suis pas un ma coumé ![2] Par ailleurs, s'il m'est arrivé de lui manifester ma gratitude, ç'a été en toute indépendance : pour rien au monde, je n'eusse dérogé au caractère libéral de ma vocation !

— Eh bien, précisez votre rôle !

— Parfois, M. Hama me demandait conseil. Parfois, il me chargeait de ses recouvrements. Par la suite, contraint d'effectuer un tri parmi ses trop nombreuses activités, il m'a grandement honoré en me déléguant à la présidence de certaines sociétés.

— Chacune de ces activités fait l'objet d'une comptabilité ?

— Naturellement, Monsieur le Juge.

— D'une comptabilité en équilibre ?

1. Je ne faisais pas tous ses travaux ménagers !
2. Je ne suis pas une tapette !

– À cinq francs près, Monsieur le Juge, depuis la suppression de la petite monnaie. Si vous voulez bien commettre un agent de police pour les manutentions que l'âge m'interdit, je vous communiquerai mes registres sous deux heures.

– Et les feuilles volantes ? intervint M. Boid'ho.

– Quelles feuilles, Monsieur le Procureur ?

– Celles sur lesquelles auraient pu être notées des opérations plus confidentielles.

– Je vous mets au défi, Monsieur le Procureur, de trouver quoi que ce soit contre moi... dans les années non prescrites !

Ostensiblement, M. Aber bâilla derrière sa main.

– Monsieur Sucrier, je vous laisse jusqu'à ce soir, 6 heures, pour mettre à ma disposition toute votre comptabilité, j'ai dit « toute »... Quant à son transport, vous vous en chargerez : ici, ce genre de besognes est jugé attentatoire à la dignité des fonctionnaires.

D'endormi, son ton devint agressif :

– Votre emploi du temps la nuit du crime ?

L'homme de confiance s'attrista :

– Me soupçonneriez-vous ? moi !

– Avec d'autres, dit M. Aber d'une voix redevenue monocorde.

Puis, martelant de nouveau ses mots :

– Qu'avez-vous fait cette nuit-là, une fois sorti du Grand Hôtel ? Car vous avez bien décampé avant la fin du bal...

– Je vous laisse la responsabilité de vos suppositions, Monsieur le Juge !

– Inutile de prendre des détours ! On vous a vu.

– Qui « on » ?

M. Aber enveloppa « Maître Sucrier » de son regard le plus candide.

– Si je vous disais de qui il s'agit, ce serait très mauvais signe pour vous.

– Et pourquoi, je vous prie ?

– La communication du dossier impliquerait que...

– Vous oseriez... m'inculper !

– Sans aucune hésitation, si...

– Si, Monsieur le Juge ?

– Si vous deviez vous cantonner dans une attitude obstructive.

– Et, dans ce cas, intervint M. Boid'ho, je ne manquerais pas de requérir une mise en détention préventive.

Le ci-devant huissier parut se vider, se recroqueviller, et, la tête basse, il s'abîma dans la contemplation de la flaque qui s'élargissait sous sa chaise.

Après une triple ou quadruple minute de silence, il demanda humblement de quoi s'assécher, et, M. Nirelep lui ayant tendu avec dégoût un tampon-buvard en instance de réforme, il se mit à parodier les repasseuses de Degas.

– Je ne voulais rien vous cacher, Monsieur le Juge d'Instruction, Monsieur le Procureur de la République ! pleurnicha-t-il ; tout bonnement, il me répugnait d'avouer que j'ai encore une fois cédé au démon du jeu... avec quelques vieux compès... dans l'arrière-boutique d'un négociant très bien considéré.

– Son nom ?

– Monsieur Bachir.

– Poker ?

– Puisque je n'ai pas la chance de bridger !

– Combien du point ?

– La partie n'était pas intéressée.

– Jusqu'à quelle heure ?

– Jusqu'à la Marseillaise du matin.

– Sans interruption ?

– Sans désemparer ni diverger à d'autres actes.

– Vos partenaires ?

– Il serait indélicat pour moi de les nommer sans leur accord.

– Cette discrétion vous honore !

« Maître Sucrier » baissa pudiquement les yeux.

Un instant plus tard, s'étant mis sur pied en culbutant sa chaise et bondissant sur place au risque d'éclabousser l'assistance, il se prenait à hurler :

– Juste ciel ! quelle horreur ! quel affreux malheur !

Les signatures absorbées par le tampon-buvard s'étaient décalquées sur son pantalon humide, le transformant en collection d'autographes.

5

...Ces joueurs qui courent la fortune
Dans leurs dérèglements ressemblent à
la lune,
Se couchant le matin et se levant le soir.
                                    REGNARD.

– Monsieur le Juge, implora l'incontinent, puis-je maintenant regagner mon domicile ? Mon alibi...

– ... appelle vérification, trancha M. Aber ; donc, en attendant, vous allez rester ici sous la surveillance officieuse de Monsieur le Greffier.

– Cela ne vaut-il pas mieux qu'une arrestation en bonne et due forme ? dit suavement M. Boid'ho.

« Maître Sucrier » acquiesça en silence, puis lâcha un éternuement qui, par 30 degrés Réaumur, sonnait comme une protestation.

– Si le Siège, reprit M. Boid'ho, envisage un transport, le Parquet est tout disposé à l'accompagner.

– Volontiers, dit M. Aber, mais...

Il s'interrompit, gêné.

– Mais quoi, cher ami ?

– Il nous manquera... Attendez !

Ayant pris dans son tiroir une clé piquée de rouille, M. Aber alla fermer la porte de communication de l'arrière-cabinet, gagna cette pièce en faisant un détour par la galerie, prit Cambronne Mâcheclair par le bras en lui recommandant un complet silence et, sans lui laisser le temps de réaccoutumer ses yeux à la lumière, le ramena par la grande porte.

– Mes respects, Monsieur le Procureur ; mes civilités, Monsieur le Greffier ; Maître Sucrier, vous êtes bien ? bredouilla Cambronne Mâcheclair, les yeux encore clignotants.

– Monsieur le Juge, dit M. Boid'ho solennellement et debout, vu l'empêchement légitime de Monsieur Nirelep, Greffier d'Instruction titulaire, j'ai l'honneur de vous requérir de bien vouloir désigner en qualité de Greffier ad-hoc Monsieur Mâcheclair, Cambronne, ici présent ; de recevoir son serment et d'ordonner que du tout il sera dressé procès-verbal.

Un quart d'heure plus tard, les deux magistrats et leur auxiliaire temporaire entraient dans le magasin de M. Bachir.

C'était le même décor que chez Tonton Mirchid : le même capharnaüm de vêtements, de sous-vêtements, de quincaillerie et de salaisons. Seuls différaient les acteurs : le patron, avec sa grosse tête chauve barrée de moustaches belliqueuses, faisait penser à un catcheur turc ; quant au personnel, il se réduisait à un vendeur d'origine indéfinissable et de masculinité douteuse.

Après moult salamalecs, offres de rafraîchissements et refus polis, l'on en vint à l'objet de la visite :

– Qu'avez-vous fait dans la nuit de samedi à dimanche dernier ?

M. Bachir s'offusqua :

– Si je suis soupçonné de quelque chose, dites-moi d'abord de quoi !

Pour le rassurer, M. Aber prit sa voix monocorde :

– Vous n'êtes pas directement concerné ; en vous, c'est le témoin qui nous intéresse. Je répète ma question : qu'avez-vous fait la nuit dont il s'agit ? Ne me dites pas que vous avez oublié ! Vous disposez de plusieurs points de repère : le dimanche 3 juin, c'étaient les élections de Coquille-Rouge...

– Je n'y habite pas ; je ne vote pas ; je ne suis même pas naturalisé.

– Le samedi 2 juin, M. Hama se mariait...

– Il ne m'avait pas invité.

– Aussi, au lieu d'aller au bal, aviez-vous invité quelques amis à passer la veillée avec vous...

– Je me rappelle !

– Maître Sucrier était-il de la partie ?

M. Bachir manqua s'étrangler.

– De la... Vous dites ?

M. Boid'ho joua diplomatiquement les traducteurs :

– Party... T-Y... In English : réunion.

– Alors, reprit M. Aber, Maître Sucrier était-il bien votre hôte ?

– Peu... peu... peut-être.

– C'est oui ou c'est non ?

– Mettons que c'est oui.

– Qui y avait-il d'autre ?

M. Bachir cita un médecin, un pharmacien, un conseiller général.

– À quelle heure ces invités sont-ils arrivés ? demanda M. Aber.

– Mettons, entre minuit et deux heures.

– Maître Sucrier ?

– Un peu après une heure.

– Et l'assemblée s'est dispersée à... ?

– Juste avant la Marseillaise de 6 heures.

– Vous deviez dormir debout !

M. Bachir eut un sourire hypocrite.

– Quand on a de quoi s'occuper...

– Quand on s'occupe de quoi ?

– Quand... quand on bavarde...

– Et plus encore quand on joue !

– Monsieur le Juge...

– Quand on joue au poker !

– Sur la tête de mon grand-père...

– Le poker, intervint M. Boid'ho, constitue une saine distraction dès lors que les questions d'argent n'y interviennent point. Je suis certain que, dans le cas de M. Bachir...

– Chez moi, dit cet homme vertueux, le gagnant doit simplement un bon dîner aux perdants.

– L'innovation est plaisante ! goguenarda M. Boid'ho.

– Pardon, Juge ! pardon, Procureur ! glissa modestement Cambronne Mâcheclair ; excusez-moi de prendre la parole sans y avoir été invité ! mais... à moins que la mémoire me trahisse... il me semble bien que le témoin n'a pas précisé si l'un quelconque de ses hôtes s'était absenté au cours de la... réunion.

– C'est pourtant vrai ! dit M. Aber.

Puis, à M. Bachir :

– Vous avez entendu ?

L'intéressé eut un long moment d'hésitation, qu'il tenta de meubler en caressant ses moustaches. Enfin, haussant ses épaules hypertrophiées :

– Maître Sucrier... Il nous a lâchés vers les 2 h 30. Même que cela nous a fait faire des suppositions qui manquaient de charité chrétienne ! On a parlé de paillardise... de désertion surtout ! Effectivement, jusqu'à son départ, il n'avait pas cessé de perdre...

– Quand est-il revenu ?

– Il pouvait être 4 heures.

– Avait-il un air particulier ?

– Il paraissait beaucoup plus gai.

– Gai-gai ?

– Enfin... soulagé.

– Il s'est remis à jouer ?

– De bon cœur, Monsieur le Juge, et, à partir de ce moment-là, il a gagné sans arrêt !

M. Aber se tourna vers M. Boid'ho :

– Une question, Monsieur le Procureur ?

– Pas la moindre, cher ami.

Il interrogea du regard Cambronne Mâcheclair, qui répondit :

– Mouin pas tini question[1]. Merci à ou, Juge.

Ils s'en retournèrent tous trois au Tribunal. « Maître Sucrier », presque sec, parut se faire violence pour ne pas leur sauter au cou.

– Enfin vous ! Vous avez pu constater...

– Que vous êtes un vilain dissimulateur ! dit M. Boid'ho avec une douceur féroce ; vous vous êtes absenté du tripot pendant une bonne heure et demie !

– Où étiez-vous passé ? demanda M. Aber.

« Maître Sucrier » s'entre-caressa les mains.

– Monsieur le Juge, il est quelque peu gênant pour un homme de ma condition de confesser qu'il a rendu visite à une courtisane... et point pour la ramener à meilleures mœurs.

1. Je n'ai pas de question.

283

– Les nom et adresse de la dame ?

– Vestale Bêtacorne.

– Je la connais ! s'écria étourdiment Cambronne Mâcheclair.

M. Boid'ho le regarda en coin.

– Vous voudrez donc bien nous y emmener.

Lorsque la chance nous sourit, nous rencontrons des amis ; lorsqu'elle est contre nous, une jolie femme.

Proverbe chinois.

Non loin de la Grande Église, au rez-de-chaussée d'une maison de bois, assez vétuste pour figurer à l'Inventaire du Patrimoine, une boutique à la peinture craquelée et aux vitres voilées de poussière indiquait sur son enseigne : *Salon de thé – Service à toute heure.* En prenant soin de ne pas démastiquer davantage les carreaux de la porte-fenêtre, Cambronne Mâcheclair frappa sur un rythme qui valait mot de passe, et l'intéressante ouvrière à domicile vint ouvrir.

De prime abord, Vestale Bêtacorne n'avait rien pour détourner un moune du droit chemin : ni jeune ni vieille, ni grande ni petite, ni grosse ni maigre, ni blanche ni noire, sans beauté, sans joliesse, sans piquant, elle eût représenté la grisaille intégrale si son long nez bas planté et ses yeux furtifs n'avaient évoqué une renarde famélique.

À la vue des trois arrivants, elle se recula pudiquement.

– Excusez-moi, Messieurs ! Jamais plus de deux clients à la fois !

M. Aber rosit.

M. Boid'ho sourit d'une oreille à l'autre.

Cambronne Mâcheclair, de peur de s'esclaffer, prit un ton de verbalisateur :

– Ma chè, c'est très incorrect à ou de confondre un transport de Justice avec les transports de tes visiteurs habituels !

Elle se mit à glapir :

– Mouin pas volé ! mouin pas gou'mé ! mouin pas fé quimbois ! Ka voulé mouin ?[1]

– Un témoignage, sans plus ! dit suavement M. Boid'ho, qui ajouta à l'intention de M. Aber :

– Pour plus de commodité et surtout pour préserver le secret de l'instruction, nous pourrions entendre Madame...

– Mademoiselle ! rectifia-t-elle avec indignation.

M. Boid'ho feignit à merveille la confusion :

– Mademoiselle... À quoi pensais-je ! Je disais donc, Mademoiselle, qu'il serait plus pratique et plus régulier de recevoir votre déposition, non sur la voie publique, à portée d'ouïe des indiscrets, mais dans votre boutique...

– Ma salle d'attente !

Une fois tout le monde installé autour d'un guéridon dont le napperon n'avait pas absorbé la moindre goutte de boisson chaude depuis des lustres, M. Aber fit prêter serment à la susdite demoiselle et l'invita à

1. Je n'ai pas volé ! je n'ai pas frappé ! je ne fais pas de sorcellerie ! Que me voulez-vous ?

relater les faits dont elle pouvait avoir eu personnellement connaissance le dimanche précédent entre 2 et 4 heures du matin.

– Si je m'en souviens ! soupira-t-elle ; mes amis ! Monsieur le Juge, mettez-vous à ma place ! Imaginez un ti-moment que vous avez pris sommeil passé minuit, après avoir fait la chose avec une demi-douzaine de mounes aussi exigeants les uns que les autres...

(M. Aber rosit une nouvelle fois, mais, dans l'intérêt de la Justice, se garda d'interrompre.)

« ... et que, deux heures plus tard, un vieux macaque sans éducation se mette à cogner sur votre porte comme un garde-caca ; qu'il vous oblige à vous lever, à enfiler votre guêpière et puis une robe et à jouer avec lui... au poker ! vous entendez bien : au poker ! et ça, jusqu'à quatre heures !

« Il m'a payé le prix d'un coucher, d'accord ! Mais ce que j'ai trouvé le plus malhonnête, c'est que j'ai eu beau le lui chanter sur tous les tons, il a refusé mordicus d'intéresser la partie. J'aurais gagné une fortune : il perdait... mes amis ! Et le plus dégoûtant, c'est que, dès que la chance a tourné, dès qu'il s'est mis à gagner, il a filé sans rien dire. Comme un Rosbif devant Victor Hugues[1] !

« D'après ce que j'ai entendu dire dans ma clientèle, une fois revenu chez son compé Bachir, non seulement il s'est refait de tout ce qu'il avait perdu, mais encore il a empoché assez de dollars pour renflouer la trésorerie de toutes ses entreprises à la Compé Lapin ! En toute justice, il me devait un beau ti-cadeau... Vous croyez que j'y ai eu droit ? J'attends toujours !

1. Conventionnel dont les troupes repoussèrent un débarquement anglais.

– Ce n'est pas la première fois, dit M. Boid'ho, qu'un joueur de haut niveau se montre ingrat vis-à-vis de son entraîneur.

– Article 1131 du Code civil, récita M. Aber : « L'obligation sans cause ou sur une fausse cause, ou sur une cause illicite, ne peut avoir aucun effet. »

– Article 1133 *Ibid.,* enchaîna M. Boid'ho : « La cause est illicite quand elle est prohibée par la loi, quand elle est contraire aux bonnes mœurs ou à l'ordre public. »

– Rien ! il ne m'a rien donné ! ressassa Vestale Bêtacorne ; pas même un franc démonétisé !

Cambronne Mâcheclair la considéra avec attention.

– Ou tini pièces-là ?

Elle haussa les épaules.

– Il m'en reste quelques-unes...

– Qu'est-ce que tu as fait des autres ?

Elle bâilla.

– On peut tout faire avec des vieilles pièces : des cales pour meubles, des rondelles, des cadeaux aux timounes...

– Les pauvres ! Ils ne sont pas venus te dire qu'avec une telle fortune ils n'avaient même pas pu s'acheter un glaçon dans un lolo de campagne ?

– Si ! et je leur ai donné des billets de cinq francs à la place.

– Le bon commerçant, dit M. Boid'ho, tâche dès aujourd'hui à séduire la clientèle de demain.

– Ces pièces, dit M. Aber, en avez-vous offert à d'autres personnes ? à des collectionneurs ? à des dames ou demoiselles trop pauvres pour pouvoir accrocher un Napoléon à leur chaîne de cou ?

– À quelqu'un qui voulait faire un piaye[1] ? insinua Cambronne Mâcheclair.

1. Acte de sorcellerie.

Elle eut un geste violent de dénégation.

– Non, pas pour un piaye ! Pas non plus pour ce que Monsieur le Juge a dit. Seulement pour un phare...

– Voilà qui n'est pas lumineux ! dit M. Boid'ho.

– Mais si, Monsieur le Procureur, c'est très clair : Derrière les lentilles, il y a une lampe qui fonctionne à l'alcool, au pétrole, au gaz, je ne sais pas exactement ; cette lampe avait une avarie au brûleur ; pour réparer provisoirement, bitin-là [1], le gardien cherchait des rondelles.

– Quel phare ? demanda Cambronne Mâcheclair.

– Celui de l'Îlet.

– De l'Îlet d'où ?

– De Père-Labat.

– Le nom du gardien ?

– Un nom américain... Washington ? Pas tout à fait... Je ne suis sûre que de son petit nom : i ka crié [2] Monique.

– Tu lui as donné combien de pièces ?

– Quatre ou cinq, pas plus. Je les avais prises sur ma provision de rondelles...

– Elles étaient donc percées ?

– Naturellement.

Troublé dans ses amitiés, Cambronne Mâcheclair tenta vainement de se remémorer l'aspect des piécettes disposées en sept piles sur les lieux du crime.

M. Aber le tranquillisa :

– Aucune des pièces de monnaie que j'ai mises sous scellés ne présentait un trou.

1. Ce machin-là.
2. Il s'appelle.

7

Du fait que l'on se trouve dans des îles, le Service des Douanes joue un rôle essentiel...

Eugène REVERT.

Laissant « Maître Sucrier » disputer avec ces Messieurs du Tribunal si le délit d'abus de confiance est constitué bien que la somme détournée ait été remise en place avant toute sommation, Cambronne Mâcheclair s'en fut chez Candide Cacambo, fonctionnaire à l'Octroi de Mer.

L'idée lui était soudain venue que l'alibi de l'homme au canot cuisse-de-nymphe émue – alias Sosthène Chicotte – méritait d'être vérifié.

Cacambo, petit homme au regard étrangement attiré par l'horizon, confirma qu'avec l'imprimeur Deleatur, il avait passé la nuit du samedi au dimanche chez Chicotte – jusqu'à ce que le crépuscule du matin permît à ce dernier de les ramener à La

Pointe sans risquer un procès-verbal pour défaut d'éclairage.

Cambronne Mâcheclair prit un air compatissant.

– Aussi long qu'une veillée funèbre !

Cacambo cilla, et, très vite, avec un sourire niais, il dit :

– Quand on est plongé dans une partie, le temps passe plus vite !

– Ké jeu ou ka joué ?

– Ké jeu ? Zanzi, 421, poker d'as...

– Monsieur Chicotte avait parlé de dominos !

– Des dés, des dominos, c'est même bitin...

– Hein ! hein !

– Surtout à partir de la troisième bouteille de rhum agricole...

– Félicitations, mon chè ! Tous les mounes n'auraient pas autant de coffre... À bientôt !

– À bientôt, si Dieu veut !

Alors qu'il allait avancer un pied sur le trottoir, Cambronne Mâcheclair se retourna.

– Ka ou fè comme belles prises ces derniers temps ?

Cacambo se gratta la tête, le regard toujours perdu à dix milles du littoral.

– Pas grand-chose depuis l'affaire Driss ! du whisky sur une goëlette de Filipsburg, de la cocaïne sur un cargo de Cartagena, de l'or de Guyane, des agates du Brésil... le petit smuggling bête et courant, quoi !

Cambronne Mâcheclair eut un geste aimablement impatient.

– Je ne pensais pas à ce genre de prises : je me suis laissé dire que tu étais très versé dans la pêche aux grosses pièces, celles pour lesquelles il faut au moins des lignes de septain...

Cacambo s'esclaffa avec beucoup de naturel :

– Mouin, mon chè ! mouin ka péché seulement ouassous !

Il baissa la voix pour ajouter :

– À la main, la nuit, avec un sébi...

8

Ôtez la presse, l'hérésie est énervée.
Victor Hugo.

Sombre et poussiéreuse, tout en profondeur, avec ses abat-jour verts, sa Minerva pour les travaux de ville et sa grosse mécanique à crochets pour le labeur, l'imprimerie d'Amour Deleatur, à l'enseigne du *Devoir accompli,* évoquait un journal de ville-champignon stéréotypé dans une cowboyonnade des débuts du parlant.

Le maître des lieux était un quasi-pygmée que rapetissaient encore sa trop large salopette bleue et sa proéminente visière de metteur en scène. Avec la prestesse d'un ouistiti cueillant des mouches momifiées dans le joint d'un pare-brise, il composait, caractère après caractère, un texte gribouillé sur du papier hygiénique.

Affectant une patience proche du désintérêt, Cambronne Mâcheclair le laissa terminer sa besogne – tout en scrutant d'un œil apparemment musard les piles d'imprimés en instance de rognage, presque tous agrémentés, dans le plus pur style Auriol, d'encadrements serpentins et fleuris.

Il se prit à lire :

Pour guérir la vérole
Vous achetez un petit pot en terre. Vous mettez dedans racine gros bois, racine corossol sur, racine guimauve, un corossol sur maturité coupé en trois morceaux, morceau pot blanc, puis vous lavez la Verge avec de l'eau boriquée...

....

Pour se rendre invisible
Vous prenez un chat noir, vous le tuez, mais il ne faut pas le brûler, il faut l'écorcher. Vous achetez un miroir, un briquet, une pierre d'agate d'aimant et de l'amadou. Vous vous procurez un pot neuf. Observez : il faut aller au coup de minuit dans une fontaine prendre de l'eau pour cuire la viande et, quelque bruit que vous entendiez, il ne faut pas bouger ni regarder derrière vous...

....

Deleatur s'étant interrompu pour le regarder lire, Cambronne Mâcheclair ne se fit aucun scrupule de lui demander :

– Bitin-là, cè pou' kè quimboiseu' ?

La réponse tarda un rien :

– Mon ché... mouin passave[1] ! Ti-papier-là, c'est un client de passage qui l'a commandé à mouin : un Martiniquais, je dirais... Comme il a payé d'avance, je n'avais pas à lui demander son nom et son adresse. Au fait...

1. Je ne sais pas.

Deleatur n'en dit pas plus, mais le coup d'œil qu'il asséna à Cambronne Mâcheclair signifiait sans équivoque : « De quoi tu te mêles ? »

Fallait-il désarçonner l'insolent en lui divulguant une mission honorifique mais secrète par essence ? Cambronne Mâcheclair jugea préférable, quoique plus onéreux, de mettre une sourdine à sa susceptibilité et de commander des cartes de visite.

– Du garamond ? du cursif ? du gothique ? de l'europe ? quel format ? quelle couleur ?

– Qu'et-ce qui est le plus demandé en ce moment ?

Deleatur posa à côté des piles d'imprimés un album dont la reliure avait absorbé d'innombrables macules.

– Ga'dè là !

Et il se remit à grapiller dans sa casse.

En attendant qu'il eût fini, Cambronne Mâcheclair put se livrer à un examen exhaustif des cartes-échantillons collées non sans bavures sur des feuillets de Canson gris : tirées en noir, en rose, en bleu-layette ou en doré, sur bristol ou sur carton toilé, les bords droits ou crantés, l'écriture ici classique et là baroque, ces cartes permettaient de suivre depuis un ou deux lustres l'évolution locale de l'élégance typographique. Quant aux noms qui y figuraient – Avrilette Zèbre, Exilie Pasbeau, Candide Cacambo, Modéran Coquin, Caton Carthage, Mondésir Brisacier, Amélius Bipine, ils évoquaient un parfum de vanille ou d'acras, un goût de coco à l'eau ou de rhum vieux, un bariolage de madras, un rire aigu de clarinette, un balancement de biguine. Un seul nom détonnait : Sosthène Chicot – non par sa consonance mais à cause de la ruine humaine à laquelle il se rapportait.

– Ou ka choisi ?

Deleatur avait achevé sa composition, serré la forme, encré, appliqué une feuille nettement plus large que la justification, brossé, et il brandissait une épreuve, dont Cambronne Mâcheclair s'empara avec un péremptoire :

– Tu permets ?

Ce n'était pas, cette fois, une recette de charlatan, mais un pamphlet inspiré par les fraudes électorales de Coquille-Rouge :

Vade retro, Sénateur sataniste, esprit malin, impur, menteur, trompeur, farceur, blagueur, noceur, danseur, jongleur, aérien et terrestre.

Nous te conjurons et te commandons au nom de Jésus-Christ, Fils du Grand Dieu Tout-Puissant vivant et éternel, Roi du Ciel et de la Terre, souverain maître des vivants et des morts, mort en croix sur l'arbre de la mort pour donner à l'homme force et puissance, de te retirer immédiatement, promptement et sans retard.

. . . .

Pauvre Sénateur sataniste ! tout est fini, bien fini. Tu achèves ta carrière politique dans le mépris, la honte et le déshonneur.

Le fantôme de Légitimus va hanter tes nuits, même dans les frontières de l'au-delà. Si tu ne connais pas ce tourment, laisse-moi te dire que tu n'es rien : tu es inhumain.

– Ça, c'est tapé ! s'extasia Cambronne Mâcheclair.

Puis, sur un ton un peu trop détaché :

– On connaît l'auteur ?

Deleatur haussa les épaules.

– Un coolie de Coquille-Rouge. Je ne l'avais jamais vu avant lundi dernier. J'attends qu'il repasse pour le bon à tirer.

– Il avait payé d'avance... Donc tu ne lui as pas demandé son adresse ?

– Non, mais il m'a donné son nom.

– Et c'est ?

– J'ai bien peur de l'avoir oublié. Pas z'affé mouin[1]... Je crois quand même que ça commençait par *Ram.* Pas Ramassamy...

– Ramshaye ?

– C'est bien ça. Tu le connais ?

– Un peu. Par une relation commune. Si je le rencontre ces jours-ci, j'aimerais lui faire dédicacer son œuvre. Je peux garder cette épreuve ?

– Tu peux. Je serai quitte pour en tirer une autre.

– Merci, mon ché.

– Au fait...

– Au fait, quoi ?

– Tes cartes de visite... Tu les veux ou bien...

Le brusque et maussade silence de Deleatur ne pouvait se traduire que par : « ou bien tu voulais me faire parler ». Pour apaiser ses soupçons, Cambronne Mâcheclair lui commanda un cent de cartes.

– Comme celles de mon ami Chicotte.

Deleatur s'épanouit.

– Missié Chicotte, cé aussi compè à mouin[2].

– Malheureusement, je ne l'ai pas vu depuis un certain temps. De ton côté... ?

– Mouin ka dinè dans case à i[3] samedi dernier même. Même que...

Spontanément, il évoqua sa panne de batterie (« avec une Aronde, un moteur sans manivelle ») et la longue attente de l'aurore.

1. Ce ne sont pas mes affaires.
2. C'est aussi un ami à moi.
3. J'ai dîné chez lui.

– C'est en de telles occasions, dit Cambronne Mâcheclair, qu'un jeu de cartes se révèle utile.

– Même deux ! dit Deleatur ; on a joué au rami.

– Uniquement au rami ?

– Ça nous plaît tellement !

9

Pa compté zeu en kiou à poule.
ZAGAYA, Proverbes créoles.

Ce soir-là, faute de temps pour aller enquêter à Grosse-Montagne, à Castel, à Baie-Mahault, à Camp-Jacob ou à Bains-Jaunes, Cambronne Mâcheclair fit la tournée des lolos de Père-Labat.

Il n'y apprit pas grand-chose.

Sinon que Chicotte, malgré le délabrement de son foie, achetait souvent des œufs périmés de l'Ermitage de Maulette – suivi, dans la hiérarchie des amateurs, par Onésiphore Blanchedent et Monique Wellington.

10

*Voici galoper le lambis jusqu'à l'indé-
cision des mornes.*

Aimé CÉSAIRE.

Après qu'un punch à la pomme quénette lui eût rendu un peu de tonus, Cambronne Mâcheclair s'en repartit à mobylette et prit le chemin de Cocoyer, avec l'intention de bifurquer vers les Grands Fonds.

Peu lui importait que le macadam fût grêlé de nids-de-poule, voire raviné, et que le clair de lune en approfondît les anfractuosités : l'idée de revoir la petite fille abricot après quarante-huit heures de séparation, de tapoter les rondeurs souples de son épaule ou de sa hanche, de respirer ses cheveux, de brûler à sa tiédeur et – qui sait ? – de la serrer contre lui, bouche à bouche, sexe à sexe, tout cela le mettait dans les plus fermes dispositions érotiques. Même, il lui semblait que les crapauds, les grillons et autres travailleurs de nuit ne s'étaient mis à jouer que pour eux deux.

Hélas ! À peut-être deux kilomètres de son point de départ, un éclair de prudence l'ayant amené à se cacher avec son véhicule derrière une haie d'hibiscus, Cambronne Mâcheclair vit passer à tombeau ouvert la Rosengart de secours du commissariat de police, conduite par un inspecteur Attila affolé d'avoir perdu son gibier entre deux dos-d'âne.

Tristement, il rentra dormir près de Cerisette.

SIXIÈME JOURNÉE
(Vendredi 8 juin 195...)

1

En fait de meubles, la possession vaut titre.

Article 2279 du Code civil.

– Cher Monsieur Mâcheclair...

L'interpellé, occupé à arroser ses vivres dans la fraîcheur du matin, se retourna d'un bond, éparpillant de l'eau en tous sens. Entré silencieusement dans le jardin, Habib Hama était arrivé à deux pas de lui, l'air aussi faux que de coutume, mais tout sourire et main tendue.

– Cher Monsieur Mâcheclair, reprit-il, j'aimerais avant tout que nous tirions un trait sur le tour regrettable qu'a pris notre dernier entretien.

– Si vous y tenez ! grogna Cambronne Mâcheclair.

– Serrons-nous la main sans arrière-pensée ! Là ! Et, maintenant, j'ai une proposition à vous faire. Je m'y risque parce que mon excellent ami Monsieur le Commissaire Glandor m'a donné à entendre que vous auriez sous peu la possibilité de travailler pour les particuliers...

— Il n'a pas dit plutôt : le loisir ?

Habib Hama lança au limogé virtuel un de ses regards directs les plus trompeurs.

— Vous ne m'avez pas démenti ; donc je puis vous exposer le cas : du fait du décès de mon frère et de la disparition de ma belle-sœur, il m'incombe de gérer le patrimoine Hama. Or, en recensant les créances à recouvrer, je n'ai pas pu retrouver un certain dossier de vente à crédit : ni notre exemplaire du contrat, ni les traites acceptées. Et il s'agissait de notre plus grosse affaire de l'année : tout un mobilier ! Alors, je me suis dit que, moyennant une honnête commission... disons : dix pour cent... vous accepteriez peut-être d'aller trouver l'acheteur, de lui faire un peu peur... en un mot, le convaincre de signer un nouveau contrat et des traites de remplacement. Tenez ! j'ai tout préparé...

Cambronne Mâcheclair saisit mollement les paperasses, les lut en diagonale, les rendit d'un geste raide à Habib Hama.

— Non merci, cher Missé Hama ! Je n'ai pas l'intention de faire de la police privée ou du contentieux. Je ne suis qu'un modeste agent de police municipale en congé annuel, et j'ai mon jardin à arroser. À un de ces jours, si Dieu veut !

Habib Hama regagna sa belle voiture en crachotant un juron à chaque pas.

Cambronne Mâcheclair s'épongea le front, s'assit sur son arrosoir – en fer étamé, donc capable de supporter le poids d'un moune.

Il lui avait fallu une grande maîtrise de soi pour ne pas manifester de trouble quand il avait découvert que l'acheteur à relancer n'était autre que Monique Wellington.

2

*... quand nous étions ensemble, il me
proposait ses doutes que je lui éclaircis-
sais autant que ma capacité le pouvait
permettre.*

Le Père LABAT.

– Tu vas voir, Tim-Tim, comment, d'un poulet
« pays », tout sec et tout dur, j'aurai fait en une nuit
un chapon du Mans, digne des chambres froides du
Cristobal !

Entre deux hibiscus de sa haie, M. le curé bêchait à
petits coups prudents. À la manière dont il s'humec-
tait les lèvres du bout de la langue, Cambronne
Mâcheclair comprit que, pour la énième fois, il allait
avoir droit à la recette détaillée de la transfiguration
des gallinacés. Il s'estima trop pressé pour avoir la
politesse d'écouter.

– Je me rappelle, Père : on enveloppe la volaille
dans des feuilles de papayer, on l'enterre... À propos...

Tout à trac, tandis que le Père achevait l'exhumation, il lui exposa les charges qui pesaient maintenant sur Monique Wellington : les six pelotes de septain, les œufs de l'Ermitage de Maulette, le mobilier acheté à crédit aux *Toiles de Damas*.

Le Père se tirailla la barbe en signe de méditation.

– Raconte ça à Commissaire Glandor, et notre pauvre ti phare se retrouve sans gardien !

De l'autre main, celle qui tenait le pseudo-chapon, il balaya les arguments de l'accusation.

– Non ! je n'arrive pas à y croire ! Je connais ce gaillard depuis vingt ans que je suis ici : peut-être pas un paroissien modèle, peut-être un punch de trop par-ci par-là, peut-être un peu trop coqueur[1]... un moune dans ton genre, quoi !

– Père !

– Mais je ne le vois pas dans la peau d'un assassin. Et puis...

– Et puis, Père ?

– Il aura peut-être de bonnes explications à nous donner. Allez ! on y va. Pars nous retenir un passeur ! Je mets mon volatile au frigo et je te rejoins.

1. Coureur.

3

*Mon hôte, laissez-moi votre maison
de verre dans les sables.*

Saint-John Perse.

Ils avaient longé la grève pour éviter de faire crisser sous leurs pieds les feuilles mortes des amandiers.

Le pavillon étant toujours sous scellés, ils se rendirent directement au phare.

Au bas de la tour, sous les premières marches de l'escalier en colimaçon, était posé un coffre à usage d'armoire.

Ce coffre n'était pas clos, et, du poste de garde, situé immédiatement sous la lanterne, partaient des ronflements assez sonores pour remplacer la sirène de brume. Cambronne Mâcheclair et le Père virent dans ces circonstances une invite à la fouille.

Sous les chemisettes, pantalons de toile, sous-vêtements, linge de maison, costume de laine, il y avait un paquet de bougies qui en contenait encore cinq, quatre costumes de guiables avec leurs cagoules

– et un exemplaire du contrat en date à La Pointe-à-Pitre (Guadeloupe) du 29 mai écoulé, par lequel M. Hama (Tartous), négociant à l'enseigne des *Toiles de Damas,* vendait et livrait à M. Wellington (Monique), préposé des Phares-et-Balises, pour le prix principal de (...), payable, intérêts compris, en quinze mensualités égales de (...) à compter du 5 juillet de la présente année, pour le paiement se poursuivre de mois en mois jusqu'à complète libération en principal et intérêts, les termes et délais susénoncés se trouvant révoqués de plein droit en cas de non-paiement d'une seule traite à son échéance et dix jours après réception par le débiteur d'une lettre recommandée demeurée sans effet, les meubles neufs ci-après désignés :

– une table de salle à manger avec trois allonges,
– six chaises assorties,
– trois fauteuils rustiques garnis skaï,
– un râtelier à pipes (livré nu),
– deux cendriers à pied avec éteignoirs pivotants,
– trois sommiers de 140, façon tapissier, garnis coutil bleu à ramages, pieds droits,
– trois matelas à ressorts type confort ferme, même largeur, même garniture,
– trois tables de chevet avec lampes et vases de nuit,
– trois alaises et six paires de draps pour la literie mentionnée plus haut,
– deux berceuses hêtre teinté noyer...

Cambronne Mâcheclair se mit à souffler d'indignation.

– Ça alors !

Le Père fit un geste d'apaisement.

– Ça n'est pas une preuve absolue de culpabilité. Un contrat de crédit, ça se fait en deux exemplaires...

Qu'et-ce qui nous dit que celui-ci, ça n'est pas celui de Monique ?

Cambronne Mâcheclair s'essuya le front avec la main.

– Il faut l'interroger une bonne fois !

Le regard du Père erra en spirale jusqu'au haut de l'escalier.

– C'est de l'alpinisme !

Cambronne Mâcheclair éclata d'un gros rire.

– Pas plus de six ou sept étages, Père ! Vous, vous n'avez pas de graisse en supplément... Que dirais-je, moi ? Je suis puissant !

Le Père releva le bas de sa soutane.

– Assez babillé ! À nou allé !

La vertigineuse cage d'escalier – cage de résonnance plutôt – avait eu beau amplifier le staccato de leurs pas et leurs bronches plagier l'entrée en gare d'une locomotive à vapeur, Monique Wellington n'en continuait pas moins de dormir à poings fermés, bien posé sur le dos, moulé dans son petit lit de camp comme un grand blessé dans sa coquille en plâtre.

Sur le parquet à points de Hongrie, autour de l'orifice ménagé en son centre pour le passage des poids, gisaient une canette de bière à demi pleine, un verre vide et six pelotes de septain, dont une entamée.

De la poche arrière d'un pantalon posé au hasard sur le dossier d'une chaise pliante, dépassaient des papiers, que Cambronne Mâcheclair tira à lui d'une main tremblante.

– Père, mi là !

C'étaient le second exemplaire du contrat de crédit et les quinze traites acceptées.

Sans s'être concertés, Cambronne Mâcheclair et le Père se mirent à secouer le dormeur jusqu'à ce qu'il ouvrît les yeux et demandât d'une voix pâteuse :

309

– Ka ça y est ?

– Ce qu'il y a, misérable ! tonitrua le Père ; ose dire que tu n'as pas dérobé à ce pauvre Syrien les preuves de ta dette ! Parle ! Et ce n'est pas le confesseur qui t'écoute : c'est le citoyen !

Cambronne Mâcheclair écrasa un soupir.

– Ne vois plus en moi qu'un auxiliaire de Monsieur le Procureur !

Avec une bonne volonté inattendue, Monique Wellington avoua :

– Ce n'est pas beau, j'ai honte, mais c'est comme ça que les choses arrivent ! Si vous aviez vu les trois malheureux mounes affalés sur mes fauteuils neufs et puis, dans la chambre à côté, par terre, à touche-touche avec le vase de nuit, ces paperasses qui ne représentaient plus rien pour le Syrien alors qu'elles allaient me coûter un an et trois mois de misère... Père, Tim-Tim mon ami, est-ce que vous n'auriez pas fait comme moi ?

– Je ne pense pas ! gronda le Père.

– Mouin, en tout cas, dit Cambronne Mâcheclair, je n'aurais pas commencé par tuer le Syrien !

Monique Wellington se dressa si brusquement sur sa couche qu'il en fit craquer la toile et se retrouva assis sur le parquet.

– Mais je ne l'ai pas tué ! J'ai simplement volé ! Et encore est-ce qu'on commet un vol quand on prend un bitin dont le propriétaire est déjà mort ?

– C'est un point de droit bien délicat, ironisa Cambronne Mâcheclair ; je pourrais le soumettre à ces Messieurs du Tribunal !

Monique Wellington prit la boutade au sérieux :

– À quoi bon ! Ils ne me croiront pas plus que toi.

– Il est vrai, détacha Cambronne Mâcheclair sur un ton d'avocat général, que, contre toi, il n'y a pas que la soustraction du contrat et des traites. Il y a ça...

Il désigna la canette de bière.

— Un bitin à double fermeture : capsule couronne et puis bouchon à levier... ça ne court pas les rues ! Où ka acheté ?

Le regard de Monique Wellington devint très fuyant.

— Pas acheté : trouvé.

— Dans la chambre du Syrien ? Mais voyons ! Puisque ça ne lui servait plus à rien... Les œufs de l'Ermitage de Maulette, c'est bien toi qui les achetais dans les lolos de Père-Labat ?

Monique Wellington parut très gêné.

— Mon chè... mon chè...

— Tu les consommais tous ?

— C'est-à-dire...

Le Père émit un clappement.

— Et si c'était pour faire des piayes ?

— Pas tout à fait, Père ! balbutia Monique Wellington ; mais, quand j'ai peur d'un mauvais sort, il m'arrive de casser un œuf ou deux sur le pas de ma porte...

— En l'honneur de quels faux dieux ? rugit le Père.

Toujours assis au milieu des débris de sa couche, tel un ti moune dans son parc, Monique Wellington sourit innocemment.

— Comme ça, Père... Par habitude... Par précaution... Pas pour désobéir à la Religion !

— Les bougies, demanda avec brusquerie Cambronne Mâcheclair, c'était pour les pannes d'électricité ?

— Plutôt pour les pannes de carburant : l'Îlet n'est pas encore raccordé.

— Grâce aux lentilles de Fresnel, demanda le Père,

la lueur d'une bougie porte donc à une distance suffisante ?

Monique Wellington eut un geste évasif.

– On le dit, mais je n'ai jamais eu l'occasion d'essayer. Quand la réserve de pétrole est en baisse, je n'y touche que pour alimenter la lanterne là-haut ; c'est moi qui m'éclaire à la bougie.

– Ça t'est arrivé combien de fois ? demanda Cambronne Mâcheclair.

– Depuis quand ?

– Mettons... depuis l'achat de ton dernier paquet de bougies.

– Une fois.

– Combien de bougies pour une nuit ?

– Six ou sept.

– Combien par paquet ?

– Douze.

Cambronne Mâcheclair changea de sujet, mais non de manière :

– Les six bobines de septain : tu te rappelles que c'est avec ce genre de corde que le Syrien a été ligoté...

Monique Wellington exhala un grand soupir.

– C'était peut-être bon pour attacher un moune, mais pas pour suspendre les poids d'un phare ! Il fallait du câble d'acier. L'Administration ne s'est pas gênée pour me le dire quand elle a reçu le mémoire du marchand...

La voix de Cambronne Mâcheclair se fit incisive à l'extrême :

– Et les défroques de guiables ?

La question parut amuser Monique Wellington.

– Tu as vu leur taille ? C'était pas pour des hommes faits. C'était pour mes garçons, quand ils vont enterrer Vaval [1]...

1. Carnaval.

Il se mit à fredonner :

– *Vaval, Vaval, Vaval va laissè ou !*

Cambronne Mâcheclair coupa court :

– Ils ont quel âge, tes garçons ?

Monique Wellington se plongea dans des supputations silencieuses. Puis :

– Douze ans, quatorze ans, quinze ans, dix-sept ans.

Ces âges ne paraissant pas convaincre ses interlocuteurs, il insista :

– Ils ne sont pas grands-grands... Plutôt en retard pour la croissance... De toute façon, ces costumes de guiables, ils ne datent pas de cette année...

Il lança un regard mauvais à Cambronne Mâcheclair et expliqua :

– Ils ont été confectionnés, voici un peu plus de trois ans, par une jeune personne qui débutait dans la couture et qui avait encore bonne réputation... Tu la connais : Madame Veuve Hama.

– Ce n'est pas tout cela, dit le Père, il faut prendre des décisions.

– Avant tout, Père, dit Cambronne Mâcheclair, j'aimerais que vous vous chargiez de restituer le contrat et les traites à Habib Hama. Je ne veux pas qu'il prenne un agent de police municipale pour un chasseur de primes. S'il tient à vous verser les dix pour cent qu'il m'avait fait miroiter, ça sera pour vos bonnes œuvres.

– Et quant à notre gardien indélicat ?

Cambronne Mâcheclair se gratta la tête.

– Je soumettrai le cas à ces Messieurs du Tribunal. Mais, en attendant...

Il se tourna avec hargne vers Monique Wellington.

– La liberté provisoire, tu sais ce que c'est ? Tu restes dans ton phare... disons : dans ton Îlet... et, si

313

jamais tu te sauves, je demande à Monsieur le Juge d'ordonner à Commissaire-là de te retrouver et de te mettre à la geôle...

Il crut bon d'ajouter sur un ton sépucral :

– Mort ou vif !

4

> *À défaut d'indications du quimboi-*
> *seur, on croit partout à la valeur des*
> *« signes », des prémonitions et des*
> *rêves.*
>
> Eugène REVERT.

Ni les punchs du Père ni, ensuite, le matété[1] de
Cerisette n'avaient pu guérir Cambronne Mâcheclair
de sa morosité. Il recourut donc à une troisième
médication : la sieste.

Avec une facilité surprenante, il trouva le sommeil.
Mais quelque différence avec le Léthé dans lequel il
aspirait à se retremper !

D'abord, des mouches à feu fusant çà et là sur un
ciel de nuit sans astres. Puis, oblitérant les lucioles
sous son obscurité duvetée, une énorme et de plus en
plus croissante chauve-souris, peut-être un vampire,
peut-être un soucougnan[2], battant mollement des

---

1. Ragoût très épicé de viande ou de poisson.
2. Sorcier métamorphosé en animal.

ailes au-dessus d'une savane sans herbes recon-
naissables, ni horizon, au milieu de laquelle était sta-
tufié dans une pose de marathonien, un vieux petit
garde champêtre terrorisé. Puis, dans une lumière
diffuse ou, plus exactement, dont on avait la connaissance sans la sensation, le visage convulsé et bleu de
Tartous Hama, sa bouche meurtrie qui semblait aspi-
rer gloutonnement une bouffée d'air, se fronçait, se
projetait vers l'avant, se relâchait, recommençait sans
fin, essayant d'articuler un mot, toujours le même, un
mot qui commençait indubitablement par « b », très
probablement par « bou »...

5

Les oisifs ignorants des habitations croient fermement aux sorciers.

Ange PITOU.

À son réveil, avec étonnement, Cambronne Mâcheclair se souvint en détail de ce cauchemar.

Il ne pouvait douter que Tartous Hama eût tenté – et commencé – de lui adresser un message. Mais le traduire en clair, cela relevait du quimbois.

Et le meurtre, au fond... ?

Cambronne Mâcheclair se reprocha de ne pas avoir encore enquêté auprès des spécialistes, et, malgré son aversion, il décida d'aller d'abord chez Painbéni.

Celui-ci habitait un coin perdu où l'on ne pouvait accéder que par des pistes à cabrouets – ou à 2 CV.

Le Père ne se fit pas trop prier pour prêter la sienne.

Cambronne Mâcheclair approchait le fin bout de la chaussée dite carrossable, lorsque, dans l'ombre d'un manguier bien touffu, il découvrit une grosse Américaine particularisée par son ancienneté et ses innombrables traces de chocs.

Il rangea la 2 CV à côté de sa grande sœur, puis suivit les ornières en direction d'un vallon sans aval, où une case de bois rouge – du pin d'Orégon plutôt que du Mahogani – tentait de se mirer dans un marigot vert boueux.

Soudain, à hauteur d'une plantation d'ignames, signalée par ses tuteurs tripodes, Cambronne Mâcheclair s'arrêta, avec un « hein ! hein » de contrariété : venant de la direction de la case, une silhouette efflanquée montait vers lui, vive malgré l'incoordination de ses mouvements.

– Te voici donc, sacré caïman ! attaqua Chicotte ; ka ou vini fè là ?

– Je me renseigne, Monsieur Chicotte, je me renseigne... Et vous ?

Chicotte eut un sourire satisfait d'homme soûl.

– Moi aussi, mon ché. Comme tu n'as pas été fichu de retrouver les nég' marrons qui ont volé le canot à mouin, il faut bien que je fasse appel à l'au-delà !

– Grâce à Painbéni ?

Chicotte accentua son sourire.

– Je comptais sur lui, mais je ne l'ai pas trouvé au bercail. Si, au moins, il avait laissé sa peau pendue quelque part, j'aurais pu verser du sel dessus pour l'obliger à se manifester !

– Vous êtes bien savant, Monsieur Chicotte !

Les yeux injectés se baissèrent avec modestie.

– Depuis l'époque où j'étais ti moune, j'ai appris des tas de choses qui ne sont pas dans les livres d'école.

– Alors, Monsieur Chicotte, vous pourriez peut-être me dire : un piaye qui est resté en panne, est-ce qu'il faut le recommencer depuis le début, ou est-ce

318

qu'on peut seulement repartir du moment où on s'est arrêté ?

– Parfaitement. On peut se contenter d'enchaîner. À condition...

Chicotte remua sentencieusement la tête.

– À condition de respecter le délai : une semaine ou une lune à compter de l'interruption. Pas un jour de plus, pas un jour de moins.

Cambronne Mâcheclair observa un silence admiratif.

Chicotte s'empressa de l'en tirer :

– Tu as raison : j'en sais autant que Painbéni, et j'ai eu tort de vouloir employer moune-là qui n'en savait pas plus que moi. À partir de maintenant, s'il faut un piaye pour démasquer mes voleurs, je m'en charge.

Il tira de sa poche un flask aux trois quarts vide, le mit à sec et le tendit à Cambronne Mâcheclair.

– Tiens ! On va fabriquer un philtre à démasquer les coupables... Un philtre à base de flic... Pisse là-dedans !

Cambronne Mâcheclair faillit refuser, mais, dans l'intérêt éventuel de son enquête, il alla s'abriter dans un buisson et versa sa contribution.

Par contre, quand ils eurent regagné leurs véhicules, il refusa de goûter au rhum pseudo-agricole dont Chicotte gardait une réserve dans sa boîte à gants.

Les deux flasks se ressemblaient trop.

6

Donnez-moi la foi sauvage du sorcier.
Aimé CÉSAIRE.

– Et si...
Cambronne Mâcheclair s'était accordé deux minutes d'arrêt pour laisser à la poussière soulevée par la voiture de Chicotte le temps de retomber. Et soudain l'idée lui était venue :
– Si béké-là ka badiné mouin ?[1]
Aussi, malgré la chaleur qui continuait à sévir, s'astreignit-il à redescendre jusque chez Painbéni.
Il toqua à la porte. Une voix nasillarde l'invita à entrer. Il entra après s'être signé. Il trouva l'albinos planté devant son fourneau à charbon de bois où mijotait une mixture malodorante.
– Tu étais donc là ! s'exclama-t-il naïvement.
Painbéni lui jeta un regard torve.
– Quelqu'un t'aurait-il dit le contraire ?

1. Si ce Blanc s'était joué de moi ?

– Oui : Monsieur Chicotte. Je viens de le rencontrer. Il m'a assuré que tu devais être absent.

Painbéni se mit à rire méchamment.

– C'est vrai. J'étais absent... absent pour lui ! Un quimboiseur de ma classe ne travaille que sur rendez-vous ! Je ne suis pas le domestique de ce descendant de négriers ! Et puis je ne vais pas m'abaisser à rechercher moyennant finances qui sont les emprunteurs de son horrible canot cuisse-de-nymphe !

– Comment connaissais-tu le motif de sa venue ?

– Je... Quand il attendait à ma porte, il était assez près de moi pour que je capte ses pensées.

Cambronne Mâcheclair se recula par précaution. Puis :

– Le crime de l'Îlet, Painbéni, tu en as entendu parler en long et en large ; ce n'est pas la peine que je revienne sur les détails... À quoi est-ce que ça te fait penser ?

Painbéni, en visant l'évier, cracha dans son fourneau – solution nettement plus hygiénique, le susdit évier n'ayant son écoulement que dans un seau.

– La Loi, laisse-moi te dire, en admettant que ce soit du quimbois, ce n'est pas un travail de professionnel, mais un bousillage d'amateur...

Il s'interrompit pour touiller sa potion, peut-être magique, puante certainement.

Cambronne Mâcheclair essaya d'en profiter pour lui demander, comme à Chicotte, de quelle manière on pouvait reprendre le déroulement d'un piaye après une interruption accidentelle.

– À propos de quimbois...

Mais, une méfiance irrésistible lui étant venue soudain à l'égard de l'albinos, il changea de sujet avec une hypocrisie achevée :

– À propos, à quel piaye sert donc l'urine ?

Painbéni s'enquit sur un ton docte :

– Animale ou humaine ?

– Humaine.

– Si elle vient d'une dame, mon ché, elle sert à lui asservir le monsieur qui...

– Et si c'est un moune qui a pissé ?

Painbéni leva les yeux vers la tôle ondulée qui lui servait en même temps de toit et de plafond ; puis, baissant d'un octave sa voix habituellement aiguë :

– Si c'est un moune, qu'il vérifie à chaque instant l'état de ses parties nobles ! Il risque de les voir dépérir comme des christophines[1] privées d'eau. J'ai même connu des cas où elles étaient tombées.

---

1. Sorte de courges.

7

Je sais qu'il y a bien des gens qui
regardent comme de pures imagina-
tions et comme des contes ridicules ou
des faussetés tout ce qu'on rapporte des
sorciers et de leurs pactes avec le diable.
Le Père LABAT.

– Ou crié[1] Volant du Souffleur ?
– Cé mouin.
Drapé dans une cape noire qui ne laissait passer,
couleur de pain bis, qu'une longue tête bosselée, des
mains de prestidigitateur et d'interminables jambes
décharnées, l'homme assis dans une pose méditative
devant sa grotte des Portlands n'eût constitué qu'une
assez risible contrefaçon de Fantomas si ses yeux,
enfoncés très creux sous un front d'autant plus haut
qu'il se prolongeait par un crâne entièrement chauve,
ne lui avaient conféré une dignité menaçante.

1. Tu t'appelles.

Cambronne Mâcheclair se présenta comme un villageois en quête de retour d'affection.

– Mouin tini médicine pou ça là-même[1], dit le Volant.

Il se leva, alla dans sa grotte, en ressortit avec une valise, tira de celle-ci un exemplaire dépenaillé de *La Magie antillaise* du Recteur Revert et se mit à lire d'une voix trébuchante :

– *Vous allez au marché vous acheter une petite canarie neuve, environ sept sous, sur le nom de la personne...*

– Grand Maître, interrompit Cambronne Mâcheclair, j'aime mieux vous le dire tout de suite : j'ai commencé le piaye-là : j'ai acheté l'huile d'olive, l'huile de carapate[2], l'huile à quinquets...

– Dans trois lolos différents, fils à mouin ?

– Oui, grand Maître, et chaque fois sous le nom de la jeune personne. Toujours sous son nom, j'ai acheté dans un quatrière lolo une boîte de veilleuses flottantes et une pochette d'allumettes. J'ai mis dans le canari[3] d'abord de l'eau de torrent, puis les trois sortes d'huiles, puis la veilleuse. J'ai gratté une allumette ; l'alizé l'a éteinte ; et c'est au moment où j'en grattais une autre que je me suis aperçu que j'avais oublié les mots qu'il faut dire...

– *Une Telle, j'allume cette lampe ; c'est ton cœur que j'allume ; c'est pour faire ce que je veux avec ton esprit et je prétends que tu viendras me trouver d'après la volonté du grand Rofocal et l'esprit enfernal.*

Cambronne Mâcheclair feignit de s'extasier :

– Mes amis ! que c'est long ! Je comprends pourquoi je l'avais oublié ! Grand Maître, vous voulez bien copier bitin-là pour mouin ?

1. J'ai un remède pour cela-même.
2. Ricin.
3. Marmite.

Le Volant ne parvint pas à dissimuler sa gêne.

– Je ne sais... Je ne peux pas. Je... J'ai des douleurs dans les mains. Prends de quoi écrire ! je te dicte : *Une Telle...*

Après avoir gribouillé la formule rituelle sur son carnet de contraventions, Cambronne Mâcheclair déplora :

– Il faut que je recommence tout ; que j'achète un canari, l'huile d'olive, l'huile de carapate, l'huile à quinquets, les mèches, peut-être aussi les allumettes ; que j'aille prendre de l'eau à la Grande Rivière...

Le Volant grimaça un sourire.

– Mais non ! Tu reprendras ton piaye là où tu l'as abandonné. Mais une semaine ou une lune plus tard, jour pour jour, heure pour heure, au même endroit.

– C'est obligatoire, Grand Maître ?

– C'est une loi des Puissances.

Le Volant se tut, immobile : un robot en panne d'électricité.

Toutefois, un peu d'énergie lui revint pour murmurer :

– C'est deux cents francs, fils à mouin.

Cambronne Mâcheclair jugea le moment venu d'exhiber sa plaque de policier municipal :

– Assez badiné, compè ! J'enquête sur le crime de l'Îlet à Père-Labat... Ka ou fè dans la nuit de samedi à dimanche ?

Le Volant fouilla dans sa mémoire :

– Je... J'étais à la Grande Anse, île de la Désirade.

– Drôle d'endroit pour passer son week-end !

– J'avais quelqu'un à voir.

– À la Léproserie ?

– Non. J'avais à discuter d'une question professionnelle avec l'Engagé du Petit Tabac.

– Qui t'a fait traverser ?

– Mouin ka traversé tout seul. Grâce à mon don.

Cambronne Mâcheclair fit la grosse voix :

– Grand Maître, ou bien tu sautes de la falaise-là et tu t'en vas à tire d'aile jusqu'à la Pointe des Gros Caps, ou bien tu me dis qui t'a embarqué sur son canot !

Le Volant mentionna un marin-pêcheur de Saint-François.

Cambronne Mâcheclair ne le tint pas quitte :

– Maintenant, Grand Maître, tu vas me dire si parmi les personnes que je vais t'énumérer il y a des clients à toi ! Marie-Socrate Rayapin ?

– Mouin pa connaît'.

– Tibor Ramshaye ?

– Non plus.

Il passa en revue tous ceux et celles qui, de loin comme de près, avaient été mêlés à son enquête. Le Volant certifia n'avoir eu de relations professionnelles avec aucun d'entre eux, et il paraissait sincère.

8

Ainsi quand l'Enchanteur, par les chemins et par les rues,
Va chez les hommes de son temps en habit du commun...

SAINT-JOHN PERSE.

— Comment ! vous n'êtes pas encore déshabillé ? D'où souffrez-vous ?

Très raide dans sa blouse blanche semée de taches ici rouges et là brunes, le petit monsieur au teint ocre et aux cheveux gris fixait Cambronne Mâcheclair d'un regard sans cordialité, qui le complexa.

— Excusez-moi, Docteur ! Je crains qu'il y ait eu un quiproquo. Je cherchais...

— Vous cherchiez ?

— Votre... Je pensais que vous étiez associé avec...

— Avec qui ?

— Avec un quimboiseur.

Et, pour illustrer cette supposition, Cambronne Mâcheclair tendit une main peu assurée vers le coin où se dressait un squelette suggestivement drapé dans un voile noir, puis vers la vitrine où une rampe fluorescente accusait les cavités d'une collection de crânes.

Le médecin eut un sourire.

– Je ne suis pas comme le directeur des Deux Magots : je n'ai pas d'associé ! Quant à mon ossuaire privé, vous pouvez expliquer sa présence de deux manières, selon votre degré d'intelligence : 1° (Q.I. normal). Un praticien a toujours besoin de rafraîchir ses connaissances anatomiques ; 2° (Q.I. faible). Moune-là manié piayes[1].

La plupart de mes clients optent pour la seconde solution et leur confiance m'a largement indemnisé de mes achats de... pièces détachées ! Je me laisse aller à babiller de la sorte parce que cela délasse en fin de journée et que, de toute façon, vous n'y comprendrez rien...

Cambronne Mâcheclair brandit sa plaque.

– Si, Docteur, je comprends, je suis de la Police et j'enquête sur le crime de Père-Labat.

Le médecin rit aigrement.

– Si j'avais quelque vernis de politesse, je m'excuserais... bien que ce ne soit pas moi qui aie dissimulé ma profession ! Mais, d'une part, je me sens tout à fait indigne de la bonne société créole, et, d'autre part, vous jouez avec tant de naturel le rôle de l'illettré fraîchement descendu de son morne...

Cambronne Mâcheclair se carra dans ses fonctions officieuses – tout en les officialisant quelque peu.

– Monsieur le Premier Juge d'instruction et Monsieur le Procureur m'ont chargé de vous poser quelques questions. D'abord, avez-vous reçu la visite d'une ou de plusieurs des personnes ci-après ?

1. Cet homme-là fait des sortilèges.

Il dévida sa liste.

De la blouse blanche, jaillit une pomme d'Adam protestataire.

– Et le secret professionnel ?

Cambronne Mâcheclair tapa impérativement du pied, manquant culbuter une corbeille pleine de pansements souillés.

– Le secret professionnel, Docteur, ne protège que les mounes qui viennent vous voir pour être guéris. Pas ceux qui vous demandent de leur faire des piayes.

– En tant que candidat au Conseil de l'Ordre, je suis assez versé en déontologie pour accepter ce distinguo !

– Donc, Docteur ?

– Parmi tous les bien portants que vous m'avez énumérés, il n'y en a qu'un qui m'ait sollicité sur le plan des sciences occultes : le nommé Tibor Ramshaye, un jeune pharmacien sans officine. Il m'espérait capable de lui en faire obtenir une ! Je lui ai d'abord dit que c'était une question de contingent et qu'il ne dépendait que de lui d'augmenter de deux mille unités le nombre des habitants de n'importe quel canton : aussi ingrat que dénué d'humour, il m'a accusé de le badiner. Alors...

– Alors, Docteur ?

– Alors, je lui ai conseillé de vendre de la poudre de volcan jusqu'à ce qu'il ait de quoi s'acheter une officine ! C'est tout ?

Cambronne Mâcheclair se fit tout miel.

– J'ai presque terminé, Docteur, mais... J'ai l'impression que, pour vous défendre contre la concurrence des quimboiseurs et autres charlatans, vous avez appris tous leurs trucs...

Le médecin caressa son squelette du regard.

– C'est diablement vrai.

– Par conséquent, vous pourriez m'aider à éclaircir un point qui me chiffonne : quand un piaye a été accidentellement interrompu, faut-il le recommencer depuis le début, ou bien... ?

– Il suffit d'enchaîner à partir de la coupure. Mais...

– Il y a un délai à respecter ?

– Une semaine ou une lune, même heure, même endroit. Unité d'action, unité de temps, unité de lieu. Comme dans Racine !

La référence passa au-dessus de Cambronne Mâcheclair, qui s'empressa de demander :

– Dernière question, Docteur, s'il vous plaît : Ka ou fè[1] dans la nuit du crime de l'Îlet ?

L'homme en blanc explosa :

– Je m'en souviens parfaitement, mais je n'ai rien à dire à un enjoué[2] qui a eu l'audace de me soupçonner. Tu mériterais que je t'envoie un coup de poing composé[3]... Fous le camp !

1. Qu'avez-vous fait ?
2. Mauvais plaisant.
3. Envoûtement attentatoire à l'intégrité corporelle.

9

Pâ'a n'ni dè mâle crab adan on même trou[1].

Zagaya, Proverbes créoles.

Aucune voiture suiveuse ne s'étant montrée dans le rétroviseur de la 2 C.V. depuis que celle-ci avait déserté le pieux enclos du presbytère pour aller hasarder son salut dans la fréquentation sulfureuse des sorciers, Cambronne Mâcheclair s'autorisa un détour par les Grands Fonds.

À sa surprise, la perspective de retrouver la petite fille abricot n'éveilla pas sa sensualité.

Il se demanda si cet état dépressif était lié à un pressentiment néfaste ou s'il constituait la première étape de la décadence génésique que Painbéni lui avait fait craindre.

Quand il eut frappé selon le code habituel et que, toujours vive pour son poids, Mignonnette lui eut

1. On ne trouve pas deux crabes mâles dans le même trou.

ouvert, il découvrit qu'autour de la table familiale, où un os plusieurs fois bouilli, servait de baille-goût à une platée de patates douces, étaient assis les deux ti mounes, Marie-Socrate... et Tibor Ramshaye !

Il aboya :

– Ka ou fè là ?

Puis le souffle lui faillit.

L'Hindou, lui, prouva qu'il n'en manquait pas – de souffle :

– Cher Monsieur, permettez-moi tout d'abord de vous remercier très chaleureusement de l'aide paternelle que vous avez bien voulu prodiguer à une jeune personne qui m'est liée par une profonde affection réciproque ! Quand les nuages accumulés sur nos têtes innocentes se seront dissipés et que nous pourrons envisager de refaire nos vies sous des cieux plus cléments, soyez certain que, malgré le temps, malgré l'éloignement...

– Je n'en doute pas, grommela Cambronne Mâcheclair ; mais, laissez-moi vous dire, comment avez-vous su que Ma... que Madame restait ici ?

– Parce qu'elle m'a envoyé un ti mot. Par un ti moune.

Cambronne Mâcheclair parvint à cacher son mécontentement sous un masque de bonhomie.

– Il suffisait d'y penser ! Mais...

Il reprit un ton inquisiteur :

– Madame savait donc où vous vous cachiez ?

– Je le lui avais dit pour le cas où les choses se gâteraient.

– En d'autres termes : au cas où vous seriez recherché pour le meurtre ?

Marie-Socrate se leva, très en colère.

– Arrestez ! Papa Tim-Tim, ou conté couillonnades ! Tibor ne savait pas plus que moi ce qui allait se passer sur l'Îlet. Simplement, il avait peur que les élections de Coquille-Rouge finissent en bataille des Saintes et qu'on lui en fasse endosser la responsabilité !

L'Hindou sourit largement, tout en ouvrant des yeux de gazelle.

– Ça, c'est la vérité vraie !

Cambronne Mâcheclair se pencha vers Marie-Socrate, tout en veillant à ne pas trop l'approcher.

– Je veux bien te croire, tite fille, mais il n'empêche qu'en faisant ce garçon venir ici, tu lui as rendu le plus mauvais service. D'abord, imagine que la police ait monté une planque à côté de sa cachette et qu'elle l'ait pris en filature ! Et puis, si commissaire-là vous trouve réfugiés dans la même case, va donc lui faire admettre que vous n'êtes pas complices ! C'est catastrophique ! Il faut arranger ça sans délai ! Mais comment ?

Il ferma les yeux, médita en silence, se frappa le front :

– J'ai trouvé !

Il prit l'Hindou par le bras.

– Tu as fini ton dîner ?

– Je n'ai plus faim. L'injustice de la Société...

– Alors, suis-moi une bonne fois ! J'ai trouvé le meilleur moyen de te mettre à l'abri. Allez ! hop ! en voiture !

Sa précipitation était si communicative que c'est seulement à l'entrée de Pointe-à-Pitre que Cambronne Mâcheclair déplora – par ordre croissant d'importance ? – de ne pas avoir goûté aux patates et de n'avoir souhaité la bonne nuit ni à Mignonnette, ni à Marie-Socrate.

10

De toute façon
Il n'est pas recommandé
De se complaire aux haltes.

Aimé CÉSAIRE.

Les transatlantiques avaient, comme à l'accoutumée, levé l'ancre avant la nuit et, par extraordinaire, pas un cargo n'était à quai.

Aussi, la 2 C.V. obliqua-t-elle vers la darse, dont le clair de lune accentuait le manque d'animation.

Pas un humain. Pas un chien. Rien que des bateaux.

Ici, l'île d'Émeraude, le « paquebot » de Marie-Galante, dodelinant de la proue avec la morosité d'une péniche de débarquement renvoyée à la vie civile.

Là, des goélettes faisant le cabotage avec Saint-Martin, Saint-Bart, Saint-Kitts, la Dominique...

– Le Roseau, dit rêveusement Tibor Ramshaye, c'est un joli petit port...

– Tu y es déjà allé ?

– Non, mais j'ai un ami qui y reste, bien que son extradition soit demandée depuis des années.

– Un vrai havre de salut, en effet ! Tu as de quoi payer ton passage ?

– J'ai même de quoi aller beaucoup plus loin. Pour être franc, pas depuis bien longtemps !

– C'est Ma... Madame Hama ka ban ou[1] ?

– Pour le cas où je devrais m'enfuir brusquement.

– Une fois ton passage payé, tu pourrais peut-être t'acheter un drugstore au Roseau[2] ?

La voix de Tibor Ramshaye se fit boudeuse :

– Elle ne m'a pas donné suffisamment. Et puis...

– Et puis quoi ?

– J'ai peur...

– Qu'elle soit déclarée coupable et qu'elle ne puisse pas hériter ?

– S'il n'y avait que ça !

– Qu'est-ce qu'il y a d'autre ?

– J'ai consulté un avocat : un homme sûr : un Dravidien ; qui plus est, un ami politique. Il m'a dit que la succession de M. Hama risquait d'être réglée suivant le droit coranique : c'est-à-dire que, s'il n'a pas de descendants mâles, presque tout ira à son frère et presque rien à sa veuve.

Cambronne Mâcheclair saisit la balle au bond.

– Ça change tout. À quoi bon essayer de te faire une situation en Dominique si Ma... si Madame Hama n'a plus d'argent à t'envoyer ! Autant utiliser le reste de ton pécule dans un pays où tu trouveras des gens de ta race pour te prêter le complément. Que dirais-tu du Surinam ?

– J'ai un frère à Paramaribo.

1. Qui t'a donné.
2. Capitale de la Dominique.

— Eh bien, regarde le bateau-là !

À l'écart des autres occupants de la darse, était amarré un sloop immatriculé en Guyane française et dont l'habitacle était encore éclairé.

— Ce rouf-là, dit Cambronne Mâcheclair, sert de case à un ménage : un Blanc de Saint-Georges-d'Oyapok[1] qui a épousé une Chinoise. Ce sont des artistes. Ils modèlent de jolies tites statues en caoutchouc naturel, et, quand ils en ont plein leurs soutes, ils remontent d'île en île pour les vendre. Comme ils vont repartir à vide, tu ne les dérangeras pas, et ils n'ont aucune raison de faire escale en Martinique.

— Vous ne leur direz pas...

— Que la police te recherche ? Pas si bête ! Par ailleurs, si ça peut te rassurer, je ne crois pas que, depuis leur dernière venue, ils se soient fait mettre la radio.

L'un tenant et poussant l'autre, ils enjambèrent le bastingage du sloop.

1. À la frontière de la Guyane française et du Brésil.

11

*À l'intérieur, quelque chose remuait
indistinctement, comme une ombre et
un feu. – Voici la bouteille, dit
l'homme.*

R.L. Stevenson.

Malgré la prévenance de Cerisette, qui lui avait laissé de quoi dîner et s'était inondée d'Eau de Cologne, Cambronne Mâcheclair ne se sentit aucune envie de partager sa couche.

D'où provenait cette inappétence ? des fatigues de la journée ? des malheurs évoqués par Painbéni ? ou de la déloyauté de la tite fille abricot ?

Il peina à s'endormir – et de quel sommeil !

Il étouffa de nouveau sous ce flasque battement d'ailes duveteuses. Il revit la bouche tuméfiée de Tartous Hama, mais, en outre, il distingua la bouteille dont le goulot écrasait cette bouche pour la pénétrer et il crut apercevoir une buée faiblement lumineuse qui se volatilisait très vite dans sa prison de verre.

SEPTIÈME JOURNÉE
(Samedi 9 juin 195...)

1

> *Cé l'heu cab'ouett pris yo ka connaît'*
> *nom à bèf.* [1]
>
> ZAGAYA, Proverbes créoles.

– Debout, Garde Champêtre ! Un message de Monsieur le Maire ! Urgence signalée !

Il pouvait être 7 h 30, mais la journée précédente avait été si chargée et la nuit si éprouvante que Cambronne Mâcheclair dormait encore quand Thucydide commença son aubade.

En bébélé [2], il s'en fut ouvrir.

– Salut, compè ! Ban mouin une bonne fois... [3]

Les yeux du concierge s'arrondirent, mais avec dignité.

– Que veux-tu donc que je te donne ?

---

1. C'est quand la charrette est embourbée qu'ils connaissent le nom des bœufs.
2. Pyjama.
3. Donne-moi tout de suite...

– Le message, tiens !

Thucydide se gonfla d'importance.

– Si je n'ai pas chargé un petit employé de te l'apporter, c'est qu'il s'agit d'un message important, verbal et oral.

– Parle, mon chè ! je suis tout ouïe.

– Monsieur le Maire te demande instamment de bien vouloir, cet après-midi, surseoir pendant quelques heures au congé dont tu jouis si légitimement...

– Pour ?

– Pour prêter main-forte à Maître Chérubin Natas, huissier à La Pointe-à-Pitre, en vue de l'expulsion...

– De qui ?

– L'expulsion prescrite par ordonnance de référé du... du...

– Tant pis pour la date ! Qui est-ce qu'on expulse ?

Thucydide mentit maladroitement :

– Mouin passave ! Tout ce que Monsieur le Maire a consenti à me dire, c'est qu'il s'agissait d'un notable...

– Une grosse légume ! merci à ou !

– Un moune susceptible...

– Susceptible de nous goumer ?

– Pire !

Cambronne Mâcheclair explosa :

– Vous, la Municipalité, je vous comprends de moins en moins ! On me suspend, on parle même de me révoquer, alors que je suis innocent comme le cabouitt qui vient de naître ! Pour une raison qu'on n'a pas daigné m'expliquer, on commue la suspension en congé ! Et, maintenant, c'est le congé qu'on me propose de suspendre ! Il n'y a qu'un mot pour qualifier vos volte-face : cé badiné !

Thucydide écarta ponce-pilatement les bras.

– Qu'y puis-je !

340

Puis, moins théâtralement :

– Monsieur le Maire ne se rendra pas à son cabinet avant 9 heures. Cela te laisse du temps pour réfléchir. Mais...

De nouveau, il bomba le torse, les joues – tout ce qui pouvait se gonfler.

– Mais, quelle que soit ta réponse, tu voudras bien la lui communiquer toi-même et en personne.

– Si Dieu veut, grommela Cambronne Mâcheclair.

Mais, dès que Thucydide eut tourné les talons, sans attendre le petit déjeuner, avant même de se donner bonne bouche au moyen d'une petite tasse de café très fort, il prit de la benzine, un chiffon, une brosse et alla extirper sa tunique de la malle à habits.

2

*L'épreuve ne tourne jamais vers nous
le visage que nous attendions.*

François MAURIAC.

– Tambour !

En retournant les doublures de ses poches, Cambronne Mâcheclair venait de faire tomber une torche
de papier, carbonisée à un bout, sur laquelle un texte
imprimé en caractères trop encrés, transparaissant en
relief au verso, paraissait écrasé entre des marges
beaucoup trop larges.

Cambronne Mâcheclair reconnut la proclamation
de foi de Pie-V Passave, qu'il avait ramassée sur les
lieux du crime, mais qui, restée dans sa poche, lui
était sortie de l'idée.

Il la compara illico avec le tract dont Amour Deleatur avait tiré devant lui un exemplaire rudimentaire.

– C'est aussi une épreuve !

Ce fut l'étincelle qui, le punch aidant, activa ses
facultés de raisonnement.

– Conclusion, puisqu'épreuve il y a : l'individu qui s'en est servi pour allumer les bougies du piaye était ou bien l'auteur de la proclamation de foi, ou bien son correcteur, ou bien son imprimeur.

L'auteur ? S.M.M. (Sa Majesté Municipale) Onésiphore, lorsque Cambronne Mâcheclair lui apporta son accord pour l'expédition expulsive, lui indiqua, non sans s'étonner qu'il l'ignorât, que le camarade Pie-V Passave, réfugié à Aruba[1] pour raisons politiques, y était demeuré pendant les élections auxquelles il était candidat et pour lesquelles il avait donné procuration à son disciple Tibor Ramshaye.

Restaient à découvrir le correcteur et l'imprimeur. Les connaissances de M. le Maire n'allaient pas jusque-là, mais la Commission de Propagande électorale, présidée par le Juge de Paix, ne pouvait ignorer ces détails.

De la mairie, Cambronne Mâcheclair appela le Palais de Justice.

M. Ville-d'Avray, toujours aussi important, voire glougloutant, lui répondit :

– Monsieur et cher justiciable, le samedi étant jour de congé, vous ne vous étonnerez pas qu'il n'y ait personne au greffe de la Justice de Paix !

– Et le juge ?

– Il travaille chez lui. Il vérifie les mémoires des imprimeurs des candidats de Coquille-Rouge.

– Où ka resté, Juge-là ?

– Il m'est strictement interdit de donner l'adresse d'un magistrat.

– Je vous félicite de votre discrétion, Monsieur le Concierge. Mais assez babillé... Passez-moi donc une bonne fois Monsieur le Procureur de la République ou Monsieur le Juge d'instruction !

1. Antilles néerlandaises.

Mis en communication avec M. Aber, il lui exposa son problème.

— Aucune difficulté ! dit le juge ; Monsieur Nirelep est avec moi ; Monsieur Boid'ho est en conférence avec le bâtonnier, chez Madame Herminie... Rejoignez-nous dans une demi-heure !

— Au tribunal, Juge ?

— Oui. Cela nous gagnera du temps.

Cambronne Mâcheclair n'eût pas été opposé à un ti punch bien frais expédié diligemment et sans divertir, mais, appréhendant l'humeur de Renélia, il n'objecta rien au point de ralliement fixé par M. Aber.

3

*Le ménage de Compère Lapin laisse
à désirer...*

Thérèse Georgel.

– On n'a pas idée, dit M. Boid'ho, d'habiter si loin
du chef-lieu !
– L'essence est si bon marché, dit M. Aber, qu'un
logement de fonction dans une bourgade aussi retirée
que celle-ci vaut mille fois un appartement en loca-
tion à La Pointe.
– D'accord pour les débutants que nous sommes,
dit M. Boid'ho, mais un juge de paix hors classe qui a
l'indice de traitement d'un conseiller de cour d'appel
de province...
– Mieux vaudrait parler plus bas, intervint respectueusement M. Nirelep ; nous risquons de faire peur
aux lapins.
– Aux quoi ?
Précautionneusement, ils entrèrent dans cette
ancienne justice de paix. Une saine odeur de fumier

345

les prit aux narines. Tout le prétoire était transformé en clapier. Mettant par sa seule apparition un terme à la panique de ses élèves, un grand vieux gentleman à la peau blanc-beige, aux cheveux naturellement lisses mais artificiellement noirs, vint accueillir les visiteurs.

Après les civilités d'usage, on se retrouva au premier étage, juste au-dessus de la lapinière, dans une salle de séjour qui s'achevait en terrasse, autour d'un tray chargé de divers rhums et sirops.

– Pie-V Passave ! s'exclama le juge-éleveur ; il n'a pas posé des problèmes qu'à l'Administration ! À nous aussi... nous, Commission de Propagande ! D'abord, nous avons vu arriver un certain coolie, nommé Ramshaye, qui a prétendu être son mandataire mais ne pouvait produire aucune procuration ; la procuration est arrivée le dernier jour, légalisée par un consul de France aux Antilles néerlandaises... d'ailleurs, elle embaumait le curaçao ; mais au moment de signer les bons à tirer, plus de Ramshaye !

– Finalement, Juge, demanda Cambronne Mâcheclair, on l'a retrouvé ?

– Oui. Et, tout de sa main, il a mis sur l'épreuve : la date, le lieu, l'ordre d'imprimer et sa signature. J'ai cela dans mes dossiers de la Commission.

Cambronne Mâcheclair se mit à réfléchir : il était peu courant de remettre deux épreuves au responsable du bon à tirer, qu'il s'agît du candidat ou seulement de son mandataire ; donc une seule personne pouvait avoir conservé un exemplaire tiré sur le marbre, quitte à le transformer ultérieurement en allume-cierges : l'imprimeur.

– Comment crié i, au fait ?

– Son nom, dit le Juge de Paix, il est inoubliable : Amour Deleatur.

Sacré sectateur du *Devoir Accompli* qui produisait, dans le même élan, des tracts pour Tibor Ramshaye, des recettes pour quimboiseur et des cartes de visite pour l'homme au canot couleur de cuisse-de-nymphe émue !

Durant tout le retour à Pointe-à-Pitre, oubliant de vitupérer l'indiscipline des conducteurs de chars, Cambronne Mâcheclair resta silencieux.

Il ébauchait une stratégie.

C'est seulement en posant le pied devant le Palais de Justice qu'il se décida à demander :

– Pardon, Juge ! pardon, Procureur ! est-ce que vous pourriez disposer de la soirée ?

– Je n'ai aucune obligation, dit M. Boid'ho.

– Du moment que j'aurai prévenu mon épouse..., dit M. Aber.

– Surtout, dit M. Boid'ho, n'omettez point cette précaution ; il me déplairait d'être une nouvelle fois soupçonné de vous avoir entraîné dans les mauvais lieux !

– Alors, enchaîna M. Aber tout en rosissant, que nous avions passé la nuit à pourchasser les fraudes dans des bureaux de vote qui n'en finissaient pas de dépouiller !

– Je vous prie humblement de m'excuser, dit M. Nirelep sur un ton doux mais catégorique, il ne me sera pas possible de vous accompagner : ce soir, il est prévu de longue date que je voyagerai pour Terre-de-Haut.

– Qu'à cela ne tienne ! dit M. Aber ; M. Mâcheclair nous servira une nouvelle fois de greffier ad hoc...

– À moins qu'il ait lui aussi un empêchement ? railla M. Boid'ho.

Imperméable à cet humour, Cambronne Mâcheclair se rebiffa :

– Procureur, si je vous ai fait une proposition pour ce soir, c'est bien parce que je compte vous accompagner !

M. Boid'ho tourna ses batteries vers M. Nirelep :

– Je crains que votre goût du risque ne vous prive d'assister au dernier acte !

4

Chaque minute je change d'apparte-
ment.

Aimé CÉSAIRE.

Après avoir fait un détour par la darse pour s'assurer que le modeleur sur latex ainsi que son passager avaient bien appareillé pour Paramaribo, Cambronne Mâcheclair regagna ses pénates et se restaura sans chercher des poux de bois dans les choux palmistes. Puis, un peu avant 2 heures, il alla à la mairie.

Devant celle-ci, étaient déjà assemblés :

– M. le Premier Magistrat municipal flanqué de son secrétariat,

– Me Chérubin Natas assisté d'un clerc qui ouvrait un large bec de poisson coprophage,

– une dizaine de catcheurs poids lourds alignés devant un camion sans bâche ni ridelles mais équipé de grosses cordes et de longues planches,

– Thucydide dans son numéro de figuration inintelligente.

M. le Maire recompta une dernière fois son monde, vérifia d'une main discrète si son gilet pare-balles couvrait bien les parties vitales de son tronc, essaya d'étirer cette armure du XXe siècle vers le bas, maudit muettement son manque d'élasticité, puis articula d'une voix solennelle :

– Messieurs, haut les cœurs ! À nous allé !

– Où kallè ?[1] demanda Cambronne Mâcheclair en prenant place dans la Renault « Frégate » de son supérieur.

M. le Maire s'étonna :

– Thucydide ne t'a donc rien dit ?

Cambronne Mâcheclair fit une grimace qui ressemblait mal à un sourire.

– Ma foi, non, Onésiphore.

Onésiphore glapit un gros rire.

– Qu'il est discret, ce moune ! Un bijou ! Sans doute, craignait-il que tu répugnes à contrarier notre compè Painbéni...

– Painbéni !

Onésiphore tenta de s'esclaffer à nouveau, mais, peut-être nouée par l'émotion, sa gorge n'émit qu'un borborygme.

Il lui fallut une bonne minute pour reprendre son souffle et expliquer :

– Oui, mon ché ! C'est lui l'occupant sans droit ni titre que nous partons expulser, requête et diligences de la société immobilière des Grands Fonds, S.A.R.L. au capital de... je ne sais plus combien, représentée par son gérant Maître Déterville Sucrier...

– Je croyais tellement qu'il était écroué que j'ai oublié de demander de ses nouvelles à mes amis du Tribunal !

1. Où allons-nous ?

– Moi non plus, je ne sais pas exactement ce qu'ils ont fait de lui. De toute façon, on peut bien être à la geôle et mettre quelqu'un à la rue...

– Être dedans et foutre un moune dehors ! Même, être mort et avoir un prête-nom toujours actif... Mi là !

Tout en parlant, Cambronne Mâcheclair avait abaissé le miroir de courtoisie pour vérifier le boutonnage de sa chemisette.

– On nous suit !

Au risque d'attraper un torticolis, Onésiphore leva la tête vers son rétroviseur : derrière la frégate, la grosse Américaine de Chicotte sinuait d'un accotement à l'autre.

Onésiphore s'en irrita :

– De quel droit ce sudiste imbibé de grappe...

Cambronne Mâcheclair haussa philosophiquement les épaules.

– Si tu trouves une loi qui lui interdise de nous faire un brin de conduite...

Onésiphore changea de vitesse, sans nécessité mais non sans stridence.

– Mon ché, ici, à Père-Labat, la Loi, c'est mouin !

Cambronne Mâcheclair écarta les mains en un geste d'apaisement.

– Il vaut mieux ne pas le brusquer.

– Tu as peur d'un coup de fusil ?

– Non. Tu veux que je te dise la vérité, Onésiphore ?

– Plutôt deux fois qu'une !

– Sauf ton respect, Monsieur le Maire, j'ai peur que tu fasses une couillonnade !

Tout en conversant à bâtons rompus, voire à ti bois cassé dans kiou à macaque [1], ils étaient arrivés devant la belle case en pin d'Oregon.

1. En disant des méchancetés.

Painbéni en sortit, plus pâle que de nature, la bouche et les poings débordant d'agressivité.

Me Chérubin Natas le somma de déguerpir.

Il refusa – ce que l'huissier consigna au procès-verbal.

Le camion effectua un quart de tour, présentant son arrière vers la case.

Les travailleurs de force tirèrent les planches pour former un plan incliné, élinguèrent solidement la case, la firent glisser sans heurt sur le camion.

– Je proteste, vos Honneurs ! beugla Chicotte, adossé à sa voiture pour qu'on ne le vît pas vaciller ; je proteste au nom de... au nom de...

– Au nom de quoi ? demanda sèchement Onési-phore.

– Au nom de la Déclaration Universelle des Droits de l'Homme.

– Vous la connaissez depuis longtemps ?

Les yeux injectés s'entourèrent de petites rides narquoises.

– Je l'ai lue ce matin en prenant mon décollage.

Onésiphore s'élabora une voix professorale :

– Sans doute n'avez-vous pas eu le temps d'apprendre qu'en sus de ses droits l'Homme a des devoirs et que le premier de ceux-ci, auquel vous tiendrez, j'espère, à contribuer, est de fournir un toit à ceux qui n'en ont pas ou un terrain à ceux qui, tout en conservant leur habitation, ne savent plus où la poser !

La réponse de Chicotte eût sonné aussi bien que cette harangue, si sa diction n'avait été d'un relâchement extrême et si, chaque fois qu'il attaquait un aigu, ses fosses nasales ne s'étaient mises à vibrer comme de très vieux phonographes.

– Sacré païen, dit-il, tu prêches un converti !

352

Il se tourna vers les déménageurs :

– Portez la case à pauv' moune-là sur la savane à mouin ! Vous pourrez témoigner à tout le monde que je m'engage à garder case-là sur ma propriété tant que les poux de bois ne l'auront pas dévorée ! J'ai de l'humanité, mouin, bande de caïmans !

Cambronne Mâcheclair lui tendit le billet de mille francs qu'il lui avait remis en acompte sur frais d'enquête.

– Monsieur Chicotte, comme Painbéni a récemment demandé l'aide médicale gratuite, je crains qu'il ne soit actuellement désargenté... Laissez-moi donc le plaisir de vous régler son premier terme de loyer !

Le distillateur et le quimboiseur remercièrent avec emphase, mais tous deux paraissaient furieux. Sans doute, le premier, d'avoir perçu un loyer en public et, le second, d'avoir troqué la situation pitoyable d'expulsé contre celle, combien plus périlleuse, de locataire et voisin d'un pareil bois-bois[1] !

1. Pantin.

5

*Et la mer à la ronde roule son bruit
de crânes sur la grève.*

SAINT-JOHN PERSE.

Le ciel virait à l'outremer et au grenat. Crapauds et grillons entamaient leur sérénade percussionniste. Les maringouins montaient en buée vibrante. Les guimbos flageolaient autour des cimes.

Débraillé et suant, l'adjudant Liebedich considéra son verre vide avec abattement et soupira, histoire de changer de grief :

– 18 h 30, et le soleil n'est pas encore couché !

– En cette saison, dit M. Boid'ho, les jours sont déplorablement longs...

– Le serein se fait attendre, dit le M.D.L. La Monnoye.

– Je n'aurais pas besoin d'être bercé pour m'endormir, dit le gendarme Burburacci.

– Je suis pourvu en pellicule panchro, dit M. Aber,

354

mais ce qui m'inquiète, c'est le flash : je me demande si les piles tiendront le coup...

– Le punch de l'étrier ? proposa le Père.

M. Aber fut le seul à se récuser :

– Si vous aviez un grand verre de Didier...

Cambronne Mâcheclair lui dit à l'oreille :

– Pardon, Juge ! Est-ce qu'il ne serait pas utile de me réassermenter tout de suite comme greffier ad-hoc ?

– Si vous y tenez ! dit M. Aber ; levez discrètement la main droite ! je ne vous répète pas la formule...

– Je la connais, Juge.

– Dites...

– Je le jure.

– Serment prêté.

– Une dernière question, Juge : ne craignez-vous pas que notre arrivée manque de discrétion ? Les moteurs hors-bord...

– Nous avons prévu des rameurs, dit M. Boid'ho.

– Auxquels, dit l'adjudant Liebedich, nous nous sommes gardés de préciser notre destination.

– Même, pour égarer leurs soupçons, dit le M.D.L. La Monnoye, nous leur avons fait charger des lignes, des filets, des nasses et autres engins de pêche...

La nuit avait presque envahi le presbytère et, dehors, elle serait complète en cinq minutes.

– Tambour ! jura Cambronne Mâcheclair ; j'avais oublié ti bitin-là !

– Quoi donc, Garde Champêtre ? demanda M. Boid'ho.

– De prévenir Monique Wellington. Comme il paraît bien que ce soit par les meurtriers de M. Hama qu'il s'est fait goumer dans la nuit de dimanche à lundi, nous pouvons craindre qu'il se méprenne tant sur notre identité que sur nos intentions, et...

– Et qu'il nous canarde ! compléta M. Boid'ho.

– Je suis sûr, Procureur, qu'il le regretterait...

– Pas encore autant que nous !

– Aucun risque, Monsieur le Procureur ! dit l'adjudant Liebedich ; nous lui sauterons sur le poil avant qu'il ait le temps d'empoigner sa pétoire.

M. Aber consulta sa montre, adapta son flash.

– Nous allons partir en ordre dispersé : deux groupes au moins. Pas de bruit. Pas un mot. Camouflez les képis ! Nous nous retrouverons au port...

Cambronne Mâcheclair nourrissait encore une préoccupation :

– Pardon, Juge ! pardon, Procureur ! un dernier dernier bitin à vérifier : qui est armé ?

Tout le monde l'était, sauf M. Aber et, comme de juste, le Père.

6

Îles cicatrices des eaux.

Aimé CÉSAIRE.

Pour ne pas être vus du Continent, autrement dit
de la Grande Terre, ils débarquèrent au sud de l'Îlet.
Les canots furent halés au plus épais du bois d'amandiers et les traces balayées avec des palmes de lata-
niers. Les gendarmes s'introduisirent à pas de Sioux
dans le phare et se firent reconnaître du gardien après
l'avoir ceinturé et bâillonné. De peur des fuites,
l'équipage et lui furent consignés dans le poste de
garde. Puis, sur les directives de Cambronne Mâcheclair, le reste de l'expédition s'embusqua à proximité
du pavillon. Un vent assez fort s'était levé, entourant
l'Îlet d'un blanc grondement de vagues, faisant crépi-
ter les feuilles tombées des amandiers et ululer les
filaos. On pouvait échanger sans risque quelques
paroles à mi-voix. Mais le clair de lune était si intense
que le moindre mouvement eût été risqué.

Les minutes passèrent, pesantes.

Puis les heures.

Enfin, sur le battement du ressac, parut se surimprimer un clapotis, qui, devenu plus proche, s'identifia en un déchirement d'eau sous le tranchant émoussé des avirons. Bientôt même, on put entendre de sourds ahans.

Le canot sitôt échoué – un canot de couleur claire mais incertaine – trois ombres en sautèrent sur la grève : une grande, deux petites, chacune costumée en guiable et ayant un grand sac à la main. Précédant ses compagnons, le guiable le plus grand alla à pas saccadés jusqu'à la porte du pavillon, arracha les scellés, introduisit un pied-de-biche dans la feuillure, donna des pesées désordonnées, parvint à faire sauter à la fois la serrure et les gonds, de sorte que le vantail s'aplatit à grand bruit dans la salle de séjour.

Ensuite, par les fenêtres grandes ouvertes, on vit tournailler des lampes de poche et palpiter une bonne demi-douzaine de bougies ; on distingua un crapaud pendu par une patte à la suspension ; on entendit de la petite monnaie tinter, des verres en vrai verre cogner contre une table, une bouteille se vider en glougloutant, des voix bredouiller des incantations. La cérémonie dura une bonne heure.

Enfin, les trois guiables ressortirent en faisant des signes de croix à l'envers.

– Sacrilège ! gronda le Père en relevant les manches de sa soutane.

Cambronne Mâcheclair lui bloqua le poignet dans sa grosse patte tout en lui soufflant :

– Pas goumer, Père ! Pas bouger ! Pas même engueuler mounes-là !

Le briseur de scellés – et de portes ! – éleva à deux mains au-dessus de sa cagoule une grande bouteille vide, que Cambronne Mâcheclair fût certain d'identi-

358

fier avec celle qu'il avait trouvée sur les lieux du crime et qui avait été volée quelques heures plus tard.

– Grand Lucifer ! grand Beljébite ! grand Ravocal ! psalmodia-t-il d'une voix tellement artificielle qu'on ne pouvait l'identifier, nous vous demandons une nouvelle fois pardon d'avoir, voici une semaine, interrompu le saint sacrifice que nous vous devions...

Un des petits guiables prit le relais en gémissant :

– Et tout ça, grand Lucifer, grand Beljébite, grand Ravocal, parce qu'entendant un moteur de bateau faire voile vers l'Îlet-là, j'ai cru que tout l'Octroi de Mer allait débarquer et j'ai sottement communiqué ma frayeur à mes innocents acolytes !

Le grand guiable se redonna la parole :

– Après nous avoir absous, grand Lucifer, grand Beljébite, grand Ravocal, daignez vous emparer de cette âme que nous vous présentons dans son récipient transparent et impollué, en signe d'allégeance...

– Et, enchaînèrent les deux autres, grand Lucifer, grand Beljébite, grand Ravocal, guidez-nous jusqu'au trésor du Capitaine George Lowther !

Ils tirèrent des pelles pliantes de leurs sacs, les ouvrirent et commencèrent à creuser aux emplacements que le grand guiable leur montrait du goulot de sa bouteille.

Quand ils en furent au septième trou – et à la septième déception, M. Boid'ho chuchota :

– À nous allé ?

– Mon flash donnera le signal, répondit M. Aber sur le même ton ; faites passer la consigne !

Peu après, l'ampoule de magnésium lançait son éclair, et l'adjudant Liebedich clamait :

– Halte ! Gendarmerie ! Haut les mains !

Les deux bêcheurs lâchèrent leurs instruments.

Pauvres petits guiables !

L'un se jeta à l'eau et se mit à barboter vers le Continent ; une grosse vague lui passa par-dessus ; on le perdit de vue.

L'autre, qui avait commencé par lever les bras, les abaissa brusquement, brandit un pistolet, visa la Maréchaussée, qui riposta avant même qu'il eût tiré.

– Vous auriez pu me laisser le temps de l'administrer ! déplora le Père.

Précautionneusement, cérémonieusement, le grand guiable en chef posa sa bouteille par terre.

– Attention, bande de caïmans ! c'est fragile ! il y a une âme là-dedans !

Libérée de la psalmodie, sa voix était aisée à reconnaître.

– Ou pa ka fè couillonnade, Monsieur Chicotte ! implora Cambronne Mâcheclair ; laissez-vous emmener bien sage ! Vous ne resterez pas longtemps à la geôle ! Vous serez bien soigné à Saint-Claude[1] ! Ça vous fera un bon changement d'air...

Chicotte descendit de quelques pouces son pantalon mi-noir mi-blanc et se mit à farfouiller dans son slip. Les gendarmes crispèrent le doigt sur la gachette mais le relâchèrent bientôt : ce n'était pas une arme que l'alcoolique avait tirée de son marsupium, mais une simple petite fiole.

Il goguenarda :

– Essaie un peu de me badiner, caïman, vilain Congo voleur de rhum, maco à ti-bâtons[2] ! Tu vas voir une bonne fois comment, mouin, je vais vous badiner tous ! Tu vas voir... ou plutôt tu ne me verras plus ! Passez muscade !

Avec une vivacité surprenante, il déboucha la fiole avec ses dents et la vida d'une gorgée sans prendre le temps de cracher le liège.

1. À l'hôpital psychiatrique.
2. Sergents de ville.

Il eut une éructation, puis un rire satisfait.

– Messieurs, l'Homme Invisible vous salue bien !

Il tendit devant lui ses mains agitées de secousses et les fixa d'un regard d'abord assuré, puis impatient, puis anxieux, puis tragiquement déconfit. De la bave moussa à ses lèvres. Tout son corps parut se tétaniser. Il parvint à articuler, d'une voix un rien plus pâteuse que de coutume :

– Invisible ? Le trésor, pour sûr ! Mais moi ? Le salaud ! Pain... Pain...

Il s'écroula. Lui non plus ne laissa pas au Père le temps de l'administrer.

L'adjudant Liebedich souleva la cagoule du guiable tué par balle : Cambronne Mâcheclair reconnut Amour Deleatur, ci-devant imprimeur à l'enseigne du *Devoir Accompli*.

Quant au troisième chercheur de trésor, le flot devait le rejeter quelques heures plus tard sur la plage payante – et le service de l'Octroi de Mer put déplorer la perte de son féal préposé Candide Cacambo.

Les magistrats et le Père s'en repartirent les premiers.

En l'absence des gendarmes, fort occupés à charger Chicotte, Deleatur et autres pièces à conviction dans le second canot, Cambronne Mâcheclair improvisa à lui seul une haie d'honneur.

– Du très beau travail, votre enquête ! lui dit M. Aber ; c'était net comme une photo diaphragmée à F 22 !

– Un garde champêtre de votre trempe, lui dit M. Boid'ho, Napoléon III en aurait fait un préfet de police ou tout au moins un chef de la Sûreté !

– Moi, dit le Père, je mets une sourdine aux éloges pour ne pas t'induire en péché d'orgueil. La seule chose que je vais te dire, c'est que nous sommes déjà dimanche. Va te coucher en vitesse et veille à ne pas rater l'office !

Peu soucieux de voyager par le canot mortuaire, Cambronne Mâcheclair résolut d'aller d'abord se raccommoder avec Monique Wellington.

Chemin faisant, à tout hasard, il vérifia si les sept trous creusés par les guiables étaient toujours vides.

ÉPILOGUE
(Dimanche 10 juin 195...)

1

> *Il existe pourtant d'honnêtes gens*
> *qui, dans certaines occasions, se*
> *trompent systématiquement de punch*
> *pour ne pas prendre celui qu'on leur*
> *offre.*
>
> Eugène REVERT.

La nuit était si avancée que Cambronne Mâche-clair jugea difficile de prendre sommeil et surtout, s'il y arrivait quand même, de se réveiller avant midi. Il attendit donc le petit jour en compagnie de Monique Wellington et d'un flacon de rhum « vieux » parti-culièrement bien saucé[1]. Puis, Monique l'ayant transbordé, il grimpa jusque chez lui, contourna la maison, prit son cyclomoteur dans la cabane de jar-din, fit le plein de mélange et fila vers l'habitation de feu Chicotte.

Au bout de l'allée de sang-dragons, il mit pied à

1. Aromatisé artificiellement.

terre devant la barrière et, bien que celle-ci fût simplement poussée, resta sur place pour inspecter les alentours.

Entre le moulin du Père Labat et la distillerie en ruines, la case de bois rouge avait été déposée, bien d'aplomb grâce à un calage soigné ; crapauds et grillons récupéraient leurs heures de travail nocturne ; pour une fois, les chiens n'avaient pas aboyé ; le silence était si épais, si collant, que Cambronne Mâcheclair ne pût s'empêcher de frissonner.

Son premier mouvement fut d'aller vers la maison basse, mais, doutant que Chicotte ressuscitât pour l'accueillir, il bifurqua vers le mobil-home de Painbéni, qui lui ouvrit illico, déjà vêtu.

– Bonjour, la Loi. Te voici bien matinal !

– C'est que j'ai un bitin tellement important à t'annoncer...

– Ah ?

Un « Ah » qui était presque un « Bah ». L'albinos paraissait si peu curieux, si sûr de lui, que Cambronne Mâcheclair décida de l'affriander en prenant son temps. Il changea de sujet :

– C'est étrange : à mon arrivée, les chiens de Monsieur Chicotte sont restés silencieux !

Painbéni eut un sourire cruel.

– Ils n'arrêtaient pas de hurler à la lune... Ça me dérangeait, ça risquait de déranger le propriétaire...

– Monsieur Chicotte était ici ?

– Je pense.

– Il y est encore ?

– Il devrait.

– Pour en revenir aux chiens... ?

Painbéni ébaucha un gloussement de satisfaction.

– Je leur ai donné un thé[1] qui les a fait dormir.

1. Infusion quelconque.

Cambronne Mâcheclair darda sur lui un regard soupçonneux.

– Seulement dormir ?

Painbéni se drapa dans sa dignité.

– Me prendrais-tu pour un assassin ?

– Très exactement ! détacha Cambronne Mâcheclair en gonflant le torse au point d'évoquer un poisson armé.

Il enchaîna :

– Inutile de nier ! Ton ami Chicotte et ses deux complices sont tombés dans le piège que nous leur avions tendu sur l'Îlet. Ceci nous a permis de reconstituer point par point l'historique de l'affaire...

– Raconte ! j'aime tellement les histoires policières...

– Même si tu les connais déjà ! Monsieur Chicotte, sous ses dehors de dur à cuire, était faible et crédule : il avait souvent recours aux quimboiseurs, à un tout au moins, à toi. Tu as réussi à le persuader qu'un pirate du xviiie siècle avait enterré son trésor sur l'Îlet de Père-Labat et que, pour le découvrir, il fallait impérativement s'emparer de l'âme d'un moune marié très récemment, en présence de son épouse et d'un cadavre encore assez frais pour faire un zombie. Tu lui as même expliqué comment il pourrait empêcher l'âme du nouveau marié de s'échapper par une autre issue que la bouche et comment il pourrait l'enfermer dans une bouteille à condition qu'elle ait une fermeture hermétique. Ne se sentant pas de taille à agir seul, Monsieur Chicotte a fait partager sa conviction à ses amis Candide Cacambo et Amour Deleatur. Tout s'est passé selon le cérémonial par toi prescrit, mais, à un certain moment, alors qu'ils avaient tous trois les nerfs à bout, Cacambo a cru que le garde-côte de l'Octroi de Mer allait arraisonner l'Îlet.

Pris de panique, nos apprentis sorciers ont rembarqué très vite dans leur joli canot rose – ce qui les a amenés à revenir sur les lieux une semaine plus tard pour terminer le piaye interrompu. Entre-temps, inquiet d'avoir abandonné l'âme de Monsieur Hama dans une simple canette qui risquait d'être ouverte (ce qu'elle a été par moi et par ignorance) ou jetée ou brisée, Monsieur Chicotte est passé sur l'Îlet au cours de la nuit suivant celle du meurtre et a récupéré la susdite canette en assommant le gardien du phare... Tout ce que je viens de retracer te paraît-il exact ?

Du bout des lèvres, tout en suivant des yeux un gros nuage orageux, Painbéni concéda :

– Grosso modo.

Puis, se pavanant :

– Tu me rendras cette justice, après un certain prix Nobel nommé Gide, qu'il y a quelque noblesse dans l'acte gratuit.

– Dans quoi ?

– Dans un crime sans mobiles.

Cambronne Mâcheclair entra dans une colère qui lui fit rougir les paumes – et vraisemblablement aussi les plantes des pieds.

– Des mobiles ! Sacr... satané vié comédien ! Tu en avais deux ! Un contre Monsieur Hama, parce qu'au nom de sa société immobilière des Grands Fonds il avait intenté contre toi une procédure d'expulsion – alors que, Monique ayant eu la langue trop longue, beaucoup de nos concitoyens savaient où ton adversaire irait abriter sa nuit de noces... Par ailleurs, un moune aussi ravagé que Monsieur Chicotte avait les plus grandes chances de se faire appréhender et, soit d'aller finir ses jours à Saint-Claude chez les fous, soit de tenter une évasion en ingurgitant ton philtre d'invisibilité. Donc, si tu l'as lancé dans une pareille équipée, c'est que tu voulais te venger également de lui. Quel tort t'avait-il fait ? Je n'ai jamais entendu dire qu'il t'ait tiré dessus ou qu'il y ait eu une jeune personne entre vous deux... Rends-moi service ! Dis-moi une bonne fois tes griefs !

Painbéni sembla prêt à mordre.

– Son arrière-grand-père avait goumé le mien à coups de pied au kiou !

– Qu'est-ce que ton ancêtre avait donc fait ?

– On ne lui reprochait qu'un petit empoisonnement.

Cambronne Mâcheclair affecta un clignement compréhensif.

– Tu vas rentrer avec moi dans ta belle case en pin d'Orégon, tu vas t'asseoir à ta jolie table...

– En poirier !

– Tu vas prendre ton stylo...

– En Or !

– Une grande feuille de papier...

– À la forme !

– Et tu vas me coucher tes aveux par écrit.

Contrairement à ce que ses bouffées d'ironie laissaient appréhender, Painbéni s'exécuta avec une parfaite docilité.

La feuille une fois remplie d'une graphie infantile et signée prétentieusement, Cambronne Mâcheclair s'en empara, la relut avec attention, la plia, l'empocha.

– Merci. C'est très gentil à ou... D'autant plus gentil, mon chè, que les trois chasseurs de trésor n'ont pas eu le temps de dire le moindre bitin contre toi : Cacambo a disparu sous une grosse vague ; Déléatur a essayé de tuer des gendarmes qui tiraient mieux que lui ; quant à Monsieur Chicotte, grâce à ta potion, il a goûté à l'invisibilité définitive.

Painbéni parut vexé.

– Bravo ! Où me conduis-tu maintenant ? Au tribunal ou à la gendarmerie ?

– Au plus près : Mouin pa tini loto...[1] et, comme tu as sans doute plus de quatorze ans, le Code de la route m'interdit de te charger sur mon cyclomoteur. Nous irons donc au bourg à pied. Pour ne pas te faire déjà perdre la face, je ne te mettrai pas les menottes ; mais n'essaie pas de te sauver : j'ai un pistolet chargé dans ma poche.

Le sourire coincé de Painbéni s'élargit jusqu'à l'affabilité.

– Il ne fait pas encore trop chaud, mais la route est longue jusqu'au bourg...

– Deux petits kilomètres !

– Mais les kilomètres deviennent des lieues quand on a perpétuellement la pépie, comme toi et moi !

– Mon chè, quand il le faut, je sais ne pas avoir soif...

Le faciès de Painbéni exprima soudain une tristesse digne.

– Et puis, laisse-moi te dire... Nous ne risquons pas de nous revoir de sitôt ! Que rien ne nous empêche de trinquer sans rancune à ton succès tellement mérité !

Cambronne Mâcheclair usa d'un faux-fuyant :

– Il est trop tôt pour le punch.

Painbéni répliqua, péremptoire :

– À un ti bitin près, c'est l'heure du décollage.

Il alla jusqu'à son magnifique buffet en poirier massif.

Cambronne Mâcheclair ne le quitta pas des yeux tandis qu'il disposait sur un tray de cristal taillé le carafon de grappe, celui de sirop, deux verres, le tout

1. Je n'ai pas d'auto...

également en cristal taillé, plus deux moitiés de citron vert.

Painbéni plaça une de celles-ci dans le fond de chaque verre. – N'avait-il pas enfoncé l'ongle de son pouce gauche dans le demi-citron de droite ?

Il versa le rhum blanc. – Aucun geste suspect.

Puis le sirop. – Rien non plus à signaler.

Les verres étant maintenant remplis à mi-hauteur, il plongea dans chacun une tite cuillère d'argent. – Celle qu'il avait choisie pour le verre de gauche n'était-elle pas ternie par un dépôt blanchâtre ?

Détendu comme un mineur pénal en cours d'admonestation, il tendit le tray à Cambronne Mâcheclair, qui le posa sur la table, désirant réfléchir avant de se servir.

Sa bonne éducation l'eût incité à tendre la main vers le verre le plus proche. – Mais, ayant affaire à un empoisonneur, arrière-petit-fils d'empoisonneur, ne devait-il pas se défier et adopter la solution inverse ? – Par ailleurs, Painbéni était assez retors pour avoir prévu cette feinte ! – Ne pouvait-il pas, par télépathie, vous dicter le choix du mauvais punch ? – Et si les deux breuvages étaient mortels ?

– Alors, tu te décides ? ricana l'albinos.

Comment le roi Alexandre s'était-il débarrassé du nœud gordien ? En le tranchant d'un coup d'épée ! Une solution aussi militaire pouvait-elle s'adapter au cas présent ? Fort bien ! Il suffisait d'y penser.

Et d'être physiquement le plus fort.

Cambronne Mâcheclair se rua sur Painbéni, lui emprisonna la tête sous son bras gauche, le traîna malgré ses coups de pied jusqu'à la table, vida de sa main libre l'un des deux verres dans l'autre, puis, sans relâcher sa prise, serra de l'autre main le nez du quimboiseur et, de la dextre, lui fit avaler le mélange des deux punchs.

Une minute plus tard, le dégustateur malgré lui avait rejoint ses victimes.

Cambronne Mâcheclair le laissa là où il était tombé, lava, essuya et rangea un seul des deux verres, négligea l'éventualité d'un retour de congé du déchiffreur d'empreintes, ferma la case à clé, s'en alla perquisitionner chez Chicotte qui ne connaissait pas plus les serrures que l'eau potable, retrouva sur une étagère le flask qu'il avait eu l'imprudence de remplir l'avant-veille, constata avec soulagement que son contenu n'avait pas baissé de niveau, le vida, le rinça, chercha le tas d'ordures, trouva sur celui-ci les cadavres des chiens, se refusa à y jeter le flask, qu'il remporta dans la sacoche de son cyclomoteur.

Au débouché du chemin aux sang-dragons, il prit instinctivement la direction de Pointe-à-Pitre ; mais, bientôt, il lui vint à l'idée qu'ignorant les adresses personnelles de M. Aber et de M. Boid'ho, il était incapable de les joindre un dimanche.

Il fit donc demi-tour.

2

*Un souvenir de peau très douce ne
s'interdit pas aux paumes d'un
automne.*

Aimé CÉSAIRE.

Après avoir déposé à la gendarmerie la confession
manuscrite de Painbéni, la clé de sa case et un message signalant son suicide présumé (puisqu'un seul
verre restait sur le tray), Cambronne Mâcheclair s'en
alla faire un brin de toilette chez lui. Dans la cuisine,
Cerisette avait laissé un gribouillis aux termes
duquel, les nerfs ébranlés par sa solitude de la nuit
précédente, elle partait se soigner pour une durée
indéterminée chez sa sœur de Ferry – charmant village de pêcheurs où, dans les années 50, on n'accédait
qu'en canot ou par une piste où même les Jeeps ris-
quaient de se retrouver en équilibre sur une roche.
— Bon changement d'air, ma ché! s'égaya l'employeur débarrassé d'employée.
Une fois douché et rasé, il se précipita au pres-

bytère et confessa au Père la violence qu'il avait faite à Painbéni pour déjouer ses manœuvres empoisonneuses.

— Je n'ai pas à t'absoudre, dit le Père, tu étais en état de légitime défense. Néanmoins, je regrette qu'encore une fois on ne m'ait pas laissé le temps de remplir mon ministère !

— Si j'avais pu vous prévenir, Père... et, à vrai dire, je ne vois pas comment... croyez-vous que vous seriez parvenu à le faire mourir en bon chrétien ?

— J'aurais toujours essayé !

Le Père consulta sa montre.

— Je ne t'avais jamais vu arriver à la grand-messe avec une heure et demie d'avance !

Cambronne Mâcheclair prit son air le plus innocent.

— J'ai même le temps, Père, d'aller faire une course urgente. Est-ce que j'abuserais beaucoup si je vous demandais de me prêter votre auto une dernière fois ?

Le Père lui bourra amicalement les côtes.

— D'accord, mais à la condition expresse que tu sois rentré pour l'office.

Un quart d'heure plus tard, Cambronne Mâcheclair rejoignait Marie-Socrate.

Elle était seule, Mignonnette et les ti mounes étant partis chercher des madères dans un marécage où un embryon de sentier, qu'on ne pouvait parcourir qu'un long bâton dans chaque main, était constitué de rondins flottant bout à bout.

Il serra la tite fille abricot contre lui, la couvrit de baisers.

— J'ai réussi, Doudou mouin ! Tous les coupables sont démasqués. Monsieur le Juge et Monsieur le Procureur ont été témoins. Les gendarmes aussi. Tu peux passer partout la tête haute. Fais tes bagages ! En nou allé !

À ces derniers mots, le sourire de Marie-Socrate s'obscurcit.

– Où kallé ? À moins que ce ne soit Habib le coupable et qu'il ait déjà été mis à la geôle, je ne me vois pas de sitôt dans la maison de mon mari !

– Non, Habib n'a pas trempé dans l'affaire. Les criminels étaient trois mounes que tu ne connais certainement pas : un ancien distillateur, un gabelou, un imprimeur ; ils cherchaient un trésor et ils pensaient le mériter en offrant une âme à Satan... Heureusement, j'ai ouvert la bouteille dans laquelle Monsieur Hama a rendu le dernier soupir ! Mais...

– Mais quoi, Papa Tim-Tim ?

Il dissimula sa soudaine timidité sous beaucoup de bonhomie :

– Je me suis dit que... pour le moment... en attendant... ça t'arrangerait peut-être de venir habiter chez moi.

Elle eut un rire à fond de gorge.

– Ça ferait babiller !

Il haussa les épaules, tout en continuant de l'étreindre.

– Quelle importance ! Tu es libre, moi aussi. En plus, mon âge...

Elle ondula contre lui, presque lascivement.

– Pour que je vous croie inoffensif, Papa Tim-Tim, vous n'auriez pas dû m'enlacer si étroitement ! Vous êtes resté très jeune de caractère...

Il lui posa en pleine bouche un baiser hollywoodien, auquel elle répondit dès qu'elle eût constaté qu'il avait une haleine de jouvenceau et des dents d'origine.

Enfin, elle referma ses lèvres et dégagea sa taille en un saut arrière.

– En nou allé ! Pendant que je fais mon baluchon, ce serait gentil à vous d'écrire à Madame Mignonnette un petit mot de remerciement pour nous deux...

Ce pensum, il l'accomplit gravement – mais non sans rafraîchir maintes fois son regard en profitant des échappées, tantôt sur une cuisse abricotine, tantôt sur une sphère moulée de rayonne blanche, que lui offrait innocemment Marie-Socrate en triant à croupetons ses affaires étalées autour d'elle.

La lettre sur la table, les bagages chargés, sa passagère à côté de lui, Mignonnette toujours aux madères, il démarra d'un cœur léger et commença seulement le récit des derniers événements – lequel prit fin à hauteur de Cocoyer.

Alors, Marie-Socrate demanda :

– Est-ce que...

– Que quoi ?

– Que Tibor sait...

– Sait quoi ?

– Qu'il n'a plus besoin de se cacher ?

La route montant opportunément, Cambronne Mâcheclair se donna le temps de la réflexion en changeant plusieurs fois de vitesse malgré les avis contraires des pignons. Puis :

– Tibor, il est loin, très loin. Avec l'argent que tu lui as donné, il ira peut-être jusqu'au Surinam.

– Il est passé en Martinique et il a pris l'avion de Cayenne ?

– Ç'aurait été le meilleur moyen de se faire attraper ! Non : il a embarqué avec le Guyanais qui vient vendre ses sculptures en caoutchouc naturel.

– Ils feront bien escale quelque part... Il faut télégraphier partout sur leur passage ! Il reviendra une bonne fois !

Cambronne Mâcheclair soupira, avec une amertume partiellement sincère :

– Il reviendrait... si tu l'intéressais encore !

– Si je...

Elle paraissait prête à griffer.

Il se hâta d'expliquer, en s'efforçant de parler sur un ton ni fallacieusement attristé, ni ouvertement satisfait :

– Lorsque je l'ai emmené au port, il m'a parlé à cœur ouvert : il ne croyait plus que tu puisses hériter de Monsieur Hama...

– Mais, puisque mon innocence est prouvée...

– Il n'y a pas que ton innocence ! Tibor m'a parlé également du droit cano... pardon ! coranique... qui risque de s'appliquer si Monsieur Hama est né dans certains États arabes. D'après ce droit, presque tous les biens vont aux mâles de la famille. À ce bon Habib, par exemple...

– Donc ?

– Donc quoi, tite fille ?

– Tibor ?

– Il est peu probable qu'un garçon à ce point désintéressé se hasarde à faire le voyage de retour pour tes beaux yeux. Il se cherchera ailleurs une bonne amie, jolie ou laide, jeune ou vieille, mais en tout cas assez fortunée pour l'établir dans le commerce des médicaments.

Elle écrasa une larme – une seule et assez modeste.

– Vous êtes méchant, Papa Tim-Tim !

Oubliant qu'il conduisait une 2 CV, il contourna précautionneusement un nid-de-poule.

– Tu sais bien que c'est la vérité !

Elle renifla.

– Qu'est-ce qui vous dit que je voulais qu'on me la dise !

Tenant le volant d'une main, il lui posa l'autre sur le genou le moins éloigné.

– Tite fille, laisse-moi te dire... Je connais un moune bien moins jeune, peut-être moins beau mais encore pas mal de sa personne, qui a une maison à lui, une retraite de sous-officier, un traitement de fonctionnaire municipal qui se transformera un jour en une seconde pension de retraite... et un moune qui se contrefiche de l'argent de ton défunt mari. Si tu y consens, après le délai légal, on pourrait demander une dispense de bans à mon ami Monsieur le Procureur de la République par interim ; on profiterait de mon congé administratif pour aller se marier en Métropole ; et, bien plus tard, si je meurs le premier, tu auras droit à la moitié de mes retraites.

En signe d'accord, elle laissa la grosse patte de son prétendant se glisser entre ses cuisses.

Quand ils arrivèrent à Père-Labat, les cloches sonnaient pour la grand-messe. Cambronne Mâcheclair ralentit, soupira, accéléra et emmena Marie-Socrate jusqu'à « leur » maison.

3

*Avec cette urbanité exquise et cette
politesse raffinée qui caractérisent dans
tous les pays les activités de la police...*
Gilbert DE CHAMPBERTRAND.

Cambronne Mâcheclair venait de se prouver à
deux reprises que Chicotte n'avait pas eu le temps ou
le pouvoir de lui nouer l'aiguillette. Marie-Socrate
s'était assoupie, avec des mines de jeune loup repu. Si
Cambronne Mâcheclair ne s'était senti le devoir de
ramener sans plus tarder la 2 C.V. au Père, quitte à
essuyer ses reproches justifiés, il se fût volontiers
laissé entraîner par la contagion du sommeil.

Au moment où il venait de fermer les paupières
pour mieux réfléchir à l'ordre des urgences, il entendit frapper sèchement à sa porte.

– Ouv'ez ! ouv'ez une bonne fois !

Tout en se rajustant, il se demanda qui pouvait
bien être là. Le Père ? ce n'étaient ni sa voix ni son
tutoiement. Thucydide ou Onésiphore ? certaine-

ment pas. Les gendarmes ? arrivés depuis quelques mois seulement, ils n'auraient pas déjà dit « une bonne fois » pour « immédiatement », ni commencé à escamoter les « r ».

Quel qu'il fût, le visiteur s'impatientait, frappait à coups redoublés.

– Au nom de la loi, ouv'ez ou on enfonce !

À l'instant ou Cambronne Mâcheclair s'approchait pour tirer le verrou, un grand craquement retentit et il n'eut que le temps de s'écarter pour ne pas recevoir le battant en pleine figure.

Précédant le Commissaire Glandor épouvantablement souriant, les inspecteurs Eschylle, Néron, Voltaire et Attila déferlèrent dans la salle aux dix-huit sièges.

Bien qu'il ne prisât ni l'incivilité ni les dépenses de menuiserie, Cambronne Mâcheclair ne se crut pas déjà en droit de déroger au devoir d'hospitalité.

– Bonsoir, Messieurs et Dames... pardon ! Messieurs tout seuls... Vous n'étiez pas obligés de vous presser comme ça : l'affaire est éc...

Il ne put en dire davantage. Sur un signe du commissaire, la meute s'élança : Néron lui enfonça ses deux mains dans la bouche ; les trois autres l'empoignèrent par où ils purent, l'assirent sur une chaise, lui tordirent les bras derrière le dossier de celle-ci, lui mirent les menottes.

Avec des gestes plus doux – peut-être même trop doux – et sans qu'on lui ait toléré de voiler la moitié inférieure de sa charmante académie, Marie-Socrate fut pareillement accommodée.

Toujours souriant, le commissaire se planta devant Cambronne Mâcheclair.

– Je vais être très franc. Ne le suis-je pas toujours ? Inutile de nier, cher ami ! L'avant-dernière nuit, à la

Darse, un matelot d'une goélette de Saint-Bart vous a vu arriver au volant d'une voiturette portant le même numéro que celle qui stationne devant votre case, et, par un hasard malencontreux, vous aviez un passager dont le signalement correspondait trait pour trait à celui de notre principal suspect Tibor Ramshaye. Et savez-vous ce que notre témoin vous a vu faire de cet inculpé en puissance ? Vous l'avez embarqué sur la coque de noix...

— On dit « coquille de noix », Commissaire !

— Pé la, Littré des Isles ! Je disais donc... et je vous prie aimablement de ne plus m'interrompre... que ce Ramshaye, que je tiens pour un coupable, vous l'avez aidé à fuir sur le sloop d'un individu sans domicile fixe qu'on m'affirme être un ancien bagnard et qui, de toute manière, prétend sans aucune crédibilité tirer sa subsistance d'un trafic de figurines en gutta-percha...

— En latex, Commissaire !

— Pé la, j'ai dit ! Et maintenant les deux forçats... l'ancien et le futur... sont hors de nos eaux territo-riales et font route vers je ne sais quelle destination ! Peut-être ne toucheront-ils terre qu'en Amérique du Sud ! Vous pouvez être fier de vous !

— Mais, Commissaire, laissez-moi vous dire ! Puis-qu'il est innocent...

Le sourire du commissaire se fit hargneux.

— Ce n'est pas mon avis.

— Pourtant, Commissaire, c'est celui du Tribunal !

Un sourire de pitié, maintenant.

— Un bon juge d'instruction se conforme aux réquisitions du Parquet ; un bon parquetier ne contredit pas son commissaire... Mais nous ne sommes pas ici pour vous donner des leçons de pro-cédure pénale ! Comment en êtes-vous arrivé à une pareille forfaiture : aider à l'évasion d'un moune recherché par la justice ?

– Pas par la justice, Commissaire !

– Par la police, c'est pareil, je viens de vous expliquer... Une dernière fois, je vous demande : à quels mobiles avez-vous obéi ?

– Commissaire, laissez-moi vous dire : les cou...

– Pé la ! Fémé gueule à ou la ! Laissez-moi vous exposer mon problème, ou je renonce à comprendre votre démarche intellectuelle ! Vous ne paraissez pas avoir connu le coolie auparavant... Vous n'êtes pas fiché à mes services comme anarchiste terroriste... Alors ?

Le commissaire loucha vers Marie-Socrate – un œil méprisant, l'autre salace.

– Alors... une seule explication : cette petite pute...

Cambronne Mâcheclair explosa :

– Maco vous-même, Commissaire !

La gifle qui suivit – à toute volée – contrastait avec les façons doucereuses du commissaire, qui reprit :

– Une seule explication : cette petite... je veille à édulcorer ma pensée pour ménager nos réflexes... cette petite Veuve Joyeuse, qui ne répugne pas à rétribuer en nature les services rendus, a fait de vous son complice. Mais à quel méfait remonte la complicité ? À l'évasion du sieur Ramshaye ? Ou bien...

– Commissaire !

– Ou bien à l'assassinat du Syrien ?

– Commissaire ! Je...

– Vous avouez ?

– J'ai... Non...

– Vous reconnaissez avoir participé au crime ?

– Mais non, Commissaire ! Je n'avoue rien ! Je me permets simplement de vous dire que vous ne paraissez absolument pas savoir ce qui s'est passé sur l'Îlet la nuit dernière !

– Ce qui m'intéresse avant tout, c'est ce qui s'y est passé voici une semaine. La petite perquisition à laquelle nous allons procéder nous fournira peut-être quelques renseignements et vous incitera peut-être à en venir aux aveux.

– Mais, Commissaire...

– Plaît-il ?

– Ça m'étonnerait que Monsieur le Juge d'instruction vous ait délivré un mandat pour tout foutre en l'air dans case à mouin !

Le sourire du commissaire exprima un mélange de condescendance et d'agacement.

– J'ai trop d'éducation pour me permettre de déranger un magistrat le dimanche. En l'absence de mandat, le perquisitionné a le droit le plus strict de consentir à l'opération après avoir été avisé de son droit à s'y opposer. Vous allez me signer bien gentiment un petit papier en ce sens.

– Je ne signerai rien : je m'oppose !

– Mais si ! vous signerez.

Le commissaire lança un sourire gourmet à ses sous-fifres.

– Allez-y, garçons ! Toutefois, une précaution : mettez d'abord la T.S.F. en marche !

C'est donc au son d'un boogie-woogie que Cambronne Mâcheclair commença de se faire tabasser.

La colère qu'il éprouvait l'aida à endurer les coups.

Il était même parvenu à en faire complètement abstraction, lorsque Radio-Guadeloupe annonça :

– Une information de dernière minute : ce matin, à l'issue de la kermesse de Massabielle, le gros lot de la tombola de Blanchet, une automobile américaine de deux millions, a été gagné par le numéro...

– Cé mouin ! s'exclama Cambronne Mâcheclair.

– Vous seriez-vous décidé à avouer ? demanda gracieusement le commissaire, tout en faisant signe à ses hommes de poing de s'octroyer une pause bien méritée.

Tout en postillonnant du sang, Cambronne Mâcheclair expliqua :

– « C'est mouin », Commissaire, ça ne veut pas dire « C'est mouin le coupable » ; ça veut simplement dire : « C'est mouin qui ai gagné le gros lot » !

– Le gros lot de quoi ?

– De la tombola, Commissaire ! Vous n'écoutez donc rien ! Vous ne vous souvenez donc pas du billet de loterie que j'avais acheté chez Madame Herminie et que vous avez tenu à me faire mettre sous scellés !

– Maintenant que cette heureuse nouvelle vous a libéré de vos vieux complexes d'infériorité, ronronna le commissaire avec un sourire qui valait une patte de velours, vous allez bien me signer ce consentement à perquisition ?

Cambronne Mâcheclair secoua latéralement et rageusement la tête.

– Ou bien avouer votre complicité ?

D'un bond, Cambronne Mâcheclair se mit debout, avec sa chaise au dos.

– Mais puisque je vous dis que, cette nuit, sur l'Îlet...

Avec un air mensongèrement contrit, le commissaire miaula :

– Messieurs les inspecteurs, le devoir vous appelle : offrez à l'heureux gagnant la tournée de la maison !

Cambronne Mâcheclair se tassa, engourdi de fatigue et de horions. Du sang jaillit de son nez. Marie-Socrate s'évanouit en commençant à l'aimer.

*Je les avertis trois ou quatre fois de
leur devoir avec toute la douceur possible.*

Le Père LABAT.

À ce moment, la porte s'ouvrit d'un coup de pied et
une longue robe blanche s'encadra dans son huisse-
rie, cernée d'or par l'ensoleillement extérieur.

– Donnerwetter ! Qu'est-ce que ce bitin de geist-
gekrank ! Monsieur le Commissaire, je n'étais pas
sans inquiétudes sur vos chances de salut, mais je
vous croyais un minimum d'intelligence, ne fût-ce
que le souci de votre carrière... Comment ! Pauvre
petit bonhomme ! Vous osez faire enchaîner et
matraquer mon paroissien ici présent, alors que, sans
son civisme et sa perspicacité, les autorités compé-
tentes n'auraient pas mis fin, cette nuit, sur l'Îlet, aux
activités diaboliques des assassins de Monsieur
Hama !

Le commissaire le prit de haut :

– Si vous croyez les bruits qui courent, Monsieur l'Abbé...

Le Père, la barbe en bataille, fit tonner un rire de moine-guerrier.

– Si je suis un colporteur de cancans ? Respectez-vous au moins ! J'y étais.

– Sur l'Îlet, Monsieur le Curé ?

– Sur l'Îlet, cette nuit, et pas tout seul : il y avait aussi la brigade de gendarmerie.

– Je vous crois, Monsieur l'Archiprêtre !

– J'allais oublier de vous indiquer qu'avec nous il y avait encore Monsieur le Procureur de la République et Monsieur le Juge d'instruction.

– Toutes mes excuses, Mon...

– Monseigneur ? Allez-y ! ça ne me fait rien et ça peut vous être bon pour la santé : le maniement de la brosse à reluire est le sport préféré de ceux qui travaillent couchés !

Le commissaire eut un sourire pénitent.

– Une nouvelle fois, je reconnais mes torts. J'attribue la bavure que nous avons commise au fait que nos informateurs sont beaucoup moins fiables en fin de semaine ; ils se relâchent...

– Ça ne serait pas plutôt qu'ils se punchent ?

Le sourire du commissaire se fit méprisant.

– J'en ai même un qui boit son litre de rhum blanc quotidiennement !

– Chicotte ?

Le commissaire parut choqué mais noya son trouble dans un sourire à toutes fins.

– Monsieur le Curé, je suis, dans mon humble domaine, également tenu au secret de la confession.

– Pour en revenir à cet alambic ambulant, c'était le chef de la bande qui a assassiné le Syrien, et il a ingurgité du poison au moment d'être arrêté.

Pendant cette conversation, Cambronne Mâche-clair et Marie-Socrate avaient repris connaissance.

Il bougonna !

– J'ai des crampes !

Elle ne se plaignit pas mais frissonna.

Le Père entra de nouveau en fureur :

– Comment ! Bande d'argousins, vous ne leur avez pas encore enlevé leurs bracelets ! Et vous n'avez pas encore donné un vêtement correct à cette pauvre petite femme ! C'était pour vous rincer l'œil ? Sagouins !

Après avoir, par excès d'empressement, peiné à retrouver les bonnes clés, les inspecteurs délivrèrent leurs captifs. Ayant sans succès proposé à Marie-Socrate de lui masser les poignets, le commissaire poussa la prévenance jusqu'à aller prendre sa jupe dans la chambre et la lui agrafer.

Laissant les dix-huit chaises à la disposition d'une police qui paraissait très abattue, le Père emmena les tourtereaux causer avec lui dans le potager.

Fixant sur Cambronne Mâcheclair un regard sévère, il lui demanda :

– Au fait, que comptes-tu faire de cette charmante enfant ? L'emprunter pour une durée indéterminée, comme ma voiture ?

Sincèrement confus, Cambronne Mâcheclair fouilla dans sa poche.

– Père, voici vos clés... avec mes excuses et mes remerciements !

– J'accepte le tout. Quant à Madame Hama ?

– Père, je veux l'épouser dès la fin du délai de veuvage.

Le Père ouvrit de grands yeux.

– Et elle, elle t'accepte pour mari ?

– Oui, dit bravement Marie-Socrate.

Elle crut devoir expliquer, pour le Père :

– Il a été tellement bon pour moi...

Elle haussa sa bouche gourmande jusqu'à la joue bleuissante de Cambronne Mâcheclair, y posa un chaste baiser et lui chuchota dans l'oreille :

– Bon à tous les points de vue !

5

Tout bobo tini l'onguent. [1]
ZAGAYA, Proverbes créoles.

Le soleil s'apprêtait à plonger derrière les volcans de la Basse-Terre. Les menus ménétriers des savanes et des mares préludaient. Marie-Socrate n'avait pas encore mis au frigo les restes du repas impromptu qu'elle était allée chercher chez M'man Fonsine. Inlassable, elle bassinait pour la énième fois le visage tuméfié de son promis.

Il leur sembla qu'on frappait timidement à la porte – laquelle avait été réparée, dans la limite de ses compétences, par l'inspecteur Eschylle, ex-apprenti emballeur.

Marie-Socrate alla ouvrir, non sans appréhension. Le commissaire Glandor était là, en personne et seul. Il la salua cérémonieusement, attendit pour entrer qu'elle l'en eût prié, marcha à petits pas câlins vers

1. Tout mal a son remède.

Cambronne Mâcheclair, loucha avec contrition sur ses plaies et bosses.

– Cela commence à s'arranger : c'est nettement moins visible que tout à l'heure... Tenez ! pour vous aider à me pardonner, je vous fais cadeau de ce ti bitin. Je n'ai pu l'obtenir qu'en faisant le siège du domicile de l'agent général de la C.G.T.

C'était une carte permanente d'accès à bord des paquebots de la compagnie générale transatlantique lors de leurs escales en Guadeloupe. Cambronne Mâcheclair la glissa dans la poche de sa chemisette ocellée de sang.

– Merci beaucoup, Commissaire. Ça nous rendra service dans quelques mois... après que nous aurons voyagé pour France.

– Car vous...

– Ces Messieurs du Tribunal, qui ont beaucoup de bontés pour moi, s'étaient empressés d'aviser la Transat à Paris du léger service que j'avais rendu en remontant les poids du phare de l'Îlet à un moment où le Cristobal risquait d'avoir un choc sur un caye[1] du Petit Cul de Sac Marin. Le télégramme de remerciement attendait depuis hier dans ma boîte aux lettres. Nous venons de le trouver. Il annonce que, par le prochain avion, nous allons recevoir deux passages aller-retour pour Le Havre.

– En classe touriste ?

– En première, Commissaire ! Et, comme prologue à la traversée, en faisant la croisière par Le Roseau, Fort-de-France, Trinidad, La Guayra, Carthagène...

Par exception, le commissaire ne sut quel sourire arborer. Il fit la grimace en disant :

– Je vous envie !

Et, pour une fois, il parlait sincèrement.

1. Écueil corallien.

Rivages/noir

George Chesbro
  Une affaire de sorciers (n° 95)
  L'Ombre d'un homme brisé (n° 147)
  Bone (n° 164)
  La cité où les pierres murmurent (n° 184)
  Les Cantiques de l'Archange (n° 251)
  Les Bêtes du Walhalla (n° 252)

Andrew Coburn
  Toutes peines confondues (n° 129)

Michael Collins
  L'Égorgeur (n° 148)

Robin Cook
  Cauchemar dans la rue (n° 64)
  J'étais Dora Suarez (n° 116)
  Vices privés, vertus publiques (n° 166)
  La Rue obscène (n° 200)
  Quand se lève le brouillard rouge (n° 231)
  Le Mort à vif (n° 241)

Peter Corris
  La Plage vide (n° 46)
  Des morts dans l'âme (n° 57)
  Chair blanche (n° 65)
  Le Garçon merveilleux (n° 80)
  Héroïne Annie (n° 102)
  Escorte pour une mort douce (n° 111)
  Le Fils perdu (n° 128)
  Le Camp des vainqueurs (n° 176)

Hélène Couturier
  Fils de femme (n° 233)

James Crumley
  Putes (n° 92)

Mildred Davis
  Dark Place (n° 10)

Jean-Paul Demure
  Milac (n° 240)

Pascal Dessaint
  La vie n'est pas une punition (n° 224)
  Bouche d'ombre (n° 255)

Thomas Disch/John Sladek
  Black Alice (n° 154)

Wessel Ebersohn
  La Nuit divisée (n° 153)
  Coin perdu pour mourir (n° 193)
  Le Cercle fermé (n° 249)

Rivages/mystère

Achevé d'imprimer sur rotative
par l'imprimerie Darantiere à Dijon-Quetigny
en septembre 1996

Dépôt légal : 3ᵉ trimestre 1996
N° d'impression : 96-0891